Наталья Павлищева

НЕЗНАКОМАЯ ШАНЕЛЬ

В постели с врагом

ЭКСМО

МОСКВА
2012

ЯУЗА

УДК 82-94
ББК 84(2Рос)
П 12

Оформление серии *С. Курбатова*

Павлищева Н. П.

П 12   Незнакомая Шанель. «В постели с врагом» / Наталья Павлищева. — М. : Яуза : Эксмо, 2012. — 320 с.

ISBN 978-5-699-54636-7

Знаете ли вы, что великая Коко Шанель после войны вынуждена была 10 лет жить за границей, фактически в изгнании? Знает ли вы, что на родине ее обвиняли в «измене», «антисемитизме» и «сотрудничестве с немецкими оккупантами»? Говорят, она работала на гитлеровскую разведку как агент «Westminster» личный номер F-7124. Говорят, по заданию фюрера вела секретные переговоры с Черчиллем о сепаратном мире. Говорят, не просто дружила с Шелленбергом, а содержала после войны его семью до самой смерти лучшего разведчика III Рейха…

Что во всех этих слухах правда, а что — клевета завистников и конкурентов? Неужели легендарная Коко Шанель и впрямь побывала «в постели с врагом», опустившись до «прислуживания нацистам»? Какие еще тайны скрывает ее судьба? И о чем она молчала до конца своих дней?

Расследуя скандальные обвинения в адрес Великой Мадемуазель, эта книга проливает свет на самые темные, загадочные и запретные страницы ее биографии.

УДК 82-94
ББК 84(2Рос)

ISBN 978-5-699-54636-7

СКЕЛЕТЫ В ШКАФУ...

Тайное всегда интереснее явного

Сейчас самая расхожая тема о Коко Шанель не ее диктат в моде и не знаменитые духи «Шанель № 5». В биографии законодательницы моды раскопали ТА-А-АКОЕ...

Во время войны великая Мадемуазель состояла в любовной связи с нацистом бароном Гансом фон Динклаге (Шпатцем — Воробышком)!

Шанель была ни много ни мало нацистской шпионкой, как агент абвера имела свой номер F-7124 и код Westminster!

Встречалась с Вальтером Шелленбергом и даже выполняла его секретное задание — пыталась наладить связь с премьер-министром Великобритании Уинстоном Черчиллем, для чего ездила в Мадрид. Операция называлась «Модная шляпка». Закончилась, правда, ничем, но это все из-за происков МИ-6 — британской разведки.

Всякие там модные штучки вроде «маленького черного платья», духов «Шанель № 5», знаменитого стиля

Шанель, коротких стрижек, брючных костюмов, сумочек на ремнях... забыты, это ничто по сравнению с возможностью скандально разоблачить!

Когда читаешь об операции «Модная шляпка», проводимой агентом Westminster, то есть Коко Шанель, возникает ощущение бреда либо нарочно подстроенной свалки фактов. А ведь это основное обвинение против Мадемуазель, потому что просто спать со Шпатцем, каким бы тот агентом ни был, полбеды, а вот участвовать в секретной (о, ужас!) операции немецкой разведки (кошмар!), неважно, в чем бы та ни заключалась и к каким результатам ни привела — вот это преступление!

Нет, не так, а вот как: ПРЕСТУПЛЕНИЕ!!!

Ату ее!

Коллаборационистка!

Спала с нацистским Воробышком (какая разница, что именно его принадлежность к немецкой разведке никто не подтвердил?)!

В 1943 году ездила в Берлин!

Встречалась с Вальтером Шелленбергом в его личном кабинете (и снова бездоказательно, но это неважно)!

Как агент абвера получила личный номер F-7124 и кликуху Westminster!

По заданию Шелленберга ездила в Мадрид на встречу с Сэмюэлем Хором и передавала письмо для Черчилля (в письме ни слова о каком-то задании, только просьба помочь подруге — Вере Ломбарди, оказавшейся в сложной ситуации, но это наверняка все в конспиративных целях, хитрая западня для Черчилля, начнет помогать Вере, а там глядишь, и Германии поможет...)!

И как после ТАКИХ обвинений удалось избежать Нюрнбергского суда, уму непостижимо, наверняка Черчилль выручил. Наивные следователи союзников проглядели акулищу, можно сказать кита, причем голубого (не в смысле чего-то этакого, просто голубой самый большой из китов), немецкой разведки! Почитать модную нынче книгу Хэла Вогана «В постели с врагом...», так весь отдел СД под предводительством Шелленберга только на Шанель и работал (правда, называют его почему-то абвером, что в 1943 году было не одно и то же)!

А какой только чепухи не приходится слышать о взаимоотношениях Шанель и Шелленберга! Роман! Любовь с первого взгляда сразу и навсегда (а чего же ради она шефа СД после войны и его выхода из тюрьмы до самой смерти содержала? Наверняка в знак благодарности за романтическое приключение!).

И неважно, что Шанель было шестьдесят, в этом возрасте Мадемуазель хоть и оставалась женщиной горячей, но все же была весьма пожилой. А Вальтеру Шелленбергу всего тридцать три, жена Ирен красавица, на десять лет моложе него, дел по горло, и последняя схватка с Канарисом не на жизнь, а на смерть. Хотя любовь, конечно, преград не знает...

Неужели все неправда и Шанель была белой и пушистой? Отнюдь...

Вообще-то Коко Шанель сама виновата, что ей предъявили столько обвинений, но не тем, что во время войны и впрямь жила в отеле «Ритц», занятом немцами, или спала с Динклаге и наделала еще кучу глупостей, а потому что слишком многое пыталась скрыть в своей жизни. Если человек лжет, значит, ему есть зачем лгать.

Недомолвки порождают подозрения, подозрения — слухи и сплетни, которые легко разрастаются до вселенских размеров. И если после долгих лет обмана рассказать правду, не сразу поверят. Или не поверят совсем.

И все же у великой Мадемуазель имелось немало скелетов в шкафу...

Когда в 1947 году для заключения нового договора по поводу производства знаменитых духов «Шанель № 5» понадобилось свидетельство о рождении Габриэль Шанель, она, не желая показывать, насколько старше своего делового партнера Пьера Вертхаймера, раздобыла фальшивый документ, согласно которому... помолодела на десять лет!

В этом вся Шанель — не уступать ни в чем и врать без зазрения совести, если есть необходимость, а иногда и без оной. Коко Шанель сознавалась, что она профессиональная лгунья. К счастью, эта ложь касалась только ее самой. Ну, еще выдуманных родственников, которые никогда не существовали. Биографы немало помучились, пытаясь отделить зерна от плевел и выудить что-то из рассказов Мадемуазель, потому что иначе выходило пресное перечисление не менее пресных фактов.

Так что же такое пыталась скрыть от читателей Коко Шанель, отсутствие чего делало описание ее яркой, беспокойной жизни совершенно бесцветным?

Итак, скелеты в шкафу великой Мадемуазель...

Не факт, что они здесь все (кто знает, какие еще открытия могут произойти в биографии Коко Шанель), но хотя бы некоторые.

«Надо как можно меньше говорить о себе. Пусть люди пытаются разгадать вас. Наша душа скрыта ото всех, и только через наши уста она изъясняет себя: вот почему это у нас самое уязвимое место».

Эти слова Коко Шанель сказала своей подруге Клод Делэ.

Поступала она сама так, как советовала? Отнюдь. Шанель очень много рассказывала о себе, но то, что рассказывала, не только не помогало разгадать ее душу или понять биографию, но и запутывало окончательно. При всей разговорчивости и безапелляционности суждений великой Мадемуазель трудно найти человека более скрытного и таинственного.

Сколько у человека может быть документально подтвержденных дат рождения? Обычно одна, бывают две, если что-то перепутали в цифрах.

У Шанель нашлось три.

Первая настоящая — 19 августа 1883 года, зафиксированная в записи по месту рождения в Сомюре. И две выдуманных.

В архивах парижской полиции есть толстенное досье на Мадемуазель, заведенное задолго до войны, в 20-х годах, из-за ее частых поездок в Англию (как видите, тогда Шанель считали английской шпионкой). В этом досье датой рождения значится 21 августа 1886 года. Видимо, этот год не раз называла и даже где-то документально представляла сама Шанель, потому что и близкая подруга Коко Мизия Серт была уверена именно в нем.

И третья дата в свидетельстве о рождении, предоставленном Мадемуазель в 1947 году при заключении повторной сделки с братьями Вертхаймерами по поводу производства духов «Шанель № 5», там она моложе самой себя на десять лет!

Шанель совершенно не смущали такие мелочи, как искажение возраста, она и в рассказах о себе биографам с легкостью «пропускала» десяток лет, которые ей не слишком нравились. Почему? А это следующая тайна Мадемуазель.

Сколько у человека имен? Одно, даже если состоит из длинного перечня.

У Шанель их тоже несколько, первое дали при рождении — Габриэль, второе родилось как прозвище, но стало неотъемлемым настолько, что перекочевало в часть документов и в логотип ее фирмы — Коко. Третьим — Мадемуазель — ее были обязаны называть все сотрудники фирмы, причем в этом ни малейшего намека на семейное положение, скорее попытка обойти легкомысленное «Коко». А еще она добавляла себе Боннер — «счастье» — которое якобы дала ей при крещении монахиня в расчете на будущую счастливую судьбу крестной.

Второе появилось именно в те нелюбимые Мадемуазель десять лет.

Шанель старалась не вспоминать о своих родителях, коротко упоминая, что мать умерла, когда дочери было всего шесть лет, а отец... он уехал в Америку и обретается где-то там... Воспитывали ее якобы богатые и очень строгие тетушки, главным требованием которых была чистота.

Правда здесь только про чистоту.

Габриэль Шанель родилась 19 августа 1983 года у Альберта Шанеля и Жанны Деволь в сомюрской... богадельне. Жанна Деволь привычно находилась в дороге, пытаясь угнаться за своим постоянно ускользающим, как бы мы сейчас сказали, гражданским мужем. Альберт, несмотря на рождение уже второго ребенка, связывать себя узами брака не спешил. Роды прихватили Жанну в дороге, пришлось отправляться в ближайшую богадельню, где и появилась на свет ее уже вторая дочь. Записывали малышку в мэрии и крестили совершенно чужие люди, а потому даже ее фамилия оказалась написана с ошибкой, которую позже пришлось исправлять — Шаснель.

Менее талантливой от этого Габриэль Шанель не стала. А вот чужое любопытство к своему детству пресекала на корню.

Шалопай Альберт, казалось, остепенился на следующий год — он женился-таки на Жанне, которая снова была беременна, и признал двух старших девочек — Джулию и Габриэль — своими дочерьми. То есть официально отца Габриэль получила на втором году жизни.

Но оформленный брак ненадолго образумил Шанеля, он продолжил мотаться со своей повозкой по Оверни, торговать вином на ярмарках и делать долги. А еще детей. За Габриэль последовали Альфонс, Антуанетта, Люсьен и Огюстен, умерший младенцем.

Жанна Деволь, все же ставшая Жанной Шанель, прожила недолго, она страдала астмой, потом, видно, подхватила чахотку и умерла в тридцать три года в феврале 1895 года. Габриэль шел двенадцатый год (а не седьмой). Отца привычно не было дома... Девать пятерых детей Альберту Шанелю оказалось некуда, у родственников места не нашлось, и их разделили. Девочек отправили в монастырский приют в Обазине, что в пятнадцати километрах от Брива, организованный монахинями Конгрегации Сестер Непорочного Сердца Марии. Мальчиков — десятилетнего Альфонсо и шестилетнего Люсьена — отдали на воспитание в крестьянские семьи.

У Альберта Шанеля было восемнадцать братьев и сестер (самая младшая Адриенна старше Габриэль всего на два года, она стала ее подругой на всю жизнь), многочисленные родственники остались и у умершей Жанны Деволь, но ни у кого не нашлось местечка для осиротевших детей, их не разобрали даже поодиночке. За девочками захлопнулись приютские двери.

Сиротство... При живом отце и множестве родственников они были сиротами. Это черное слово навсегда отравило для Коко Шанель воспоминания о детстве. Мадемуазель ненавидела мультфильмы Уолта Диснея именно потому, что в них счастливый мир детства, которого у нее и ее сестер и братьев просто не было.

Чтобы не говорить правду об отце, выдумала его отъезд в Америку, которая тогда казалась раем земным. Но отец не вернулся не только из воображаемой Америки, он ни разу не навестил дочерей вообще, хотя жил, вопреки россказням Габриэль, неподалеку.

А вот про чистоту правда, запах чистоты очень любил беспокойный Альберт, безукоризненной чистоты добивались и монахини в приюте. Строгими тетушками из россказней Шанель в действительности были отнюдь не богатые монахини Конгрегации Сестер Непорочного Сердца Марии.

В те годы бедность и сиротство считались пороками, их стеснялись и старались скрыть. Неудивительно, что, став достаточно состоятельной и влиятельной, Шанель сумела просто уничтожить записи о своем и сестринском пребывании в приюте. Деньги позволили сделать это, в архиве приюта документы из досье Шанель «утрачены» практически все.

Могла ли она простить родственникам такое детство? Не могла и не простила.

У сестер судьбы сложились несчастливо. Джулия родила ребенка без мужа и умерла, оставив сынишку сиротой. Этого племянника Андре Паласса Габриэль забрала при первой же возможности, опекала и содержала всю жизнь, даже вытаскивала из концлагеря ценой собственного знакомства с нацистами, его дочь Габриэль (Тини) была любимой внучатой племянницей Шанель и получила основное наследство своей богатой бабушки.

И младшая из сестер Антуанетта получила от Габриэль большое приданое, когда собралась замуж. К сожалению, это замужество оказалось неудачным, а сменив канадского мужа на латиноамериканского любовника, Антуанетта и вовсе погибла в Южной Америке то ли во время эпидемии «испанки», то ли покончив с собой.

До самого начала оккупации Франции нацистами Габриэль содержала братьев, покупая им дома, машины, высылая деньги. Но их жены деньги брали, а к самой Шанель относились с презрением, как к даме полусвета, а потому своих девочек не доверили. Может, в этом и был резон, но Мадемуазель такого не простила, и наследства или содержания внучатые племянницы не получили.

Остальные родственники были забыты, вычеркнуты из памяти вовсе! Многочисленные тетушки и дядюшки, все, кроме Адриенны, перестали существовать для нее навсегда. Они ответили тем же — никаких воспоминаний о дочери Альберта и Жанны, ни слова даже для лю-

Несмотря на явное отсутствие всяких данных, их приняли. Собственно, директор ничем не рисковал, ведь оплата новеньким не полагалась, статисткам предстояло заполнить собой время между номерами, что-то

бопытных биографов и журналистов. Это понятно, ведь тогда пришлось бы признать, что пятерым детям не нашлось куска хлеба и местечка даже в уголке, их просто выкинули из семьи. Конечно, пылать любовью к такой семье Шанель не могла. И к детству тоже.

Чего только не выдумывала Шанель о своем детстве! Мол, ее взяли к себе две богатые старые девы — кузины покойной матери... Почему при этом остальные дети оставались в приюте, не упоминалось. Описать тетушек? Нет, она даже не помнила их лиц... тетушки Габриэль никогда не интересовали... Они были строгими, нудными и очень состоятельными... Богатство у Шанель почему-то ассоциировалось с множеством окороков и копченостей, висящих над большим очагом на кухне, буфетами, забитыми соленым маслом, и шкафами, полными отменного постельного белья из ценного иссуарского полотна.

Запах чистоты от белоснежных простыней с кружевными краями казался Габриэль самым главным запахом счастливого детства. Всю жизнь Шанель любила запах чистоты и была вымыта буквально до скрипа, как и все вокруг нее.

Куда девался выдуманный мир богатых тетушек? Такие мелочи Шанель не занимали, он никуда не девался, этот мир по-прежнему жил в ее выдумках: богатые тетушки, владелицы ферм и пастбищ, кухня состоятельного провинциального дома с окороками над очагом, кружевные туго накрахмаленные чепцы служанок... Она не представляла другой жизни, видимо однажды увидев в чьем-то доме именно такую картинку. Скорее всего, какая-нибудь монахиня взяла девочку с собой в такой дом, чтобы помочь отнести выполненную работу, там Габриэль и обнаружила буфеты, полные масла, и шкафы с простынями, пахнущими чистотой.

Реальность разительно отличалась от выдумки. Младший брат Люсьен, вернувшись со службы в армии, отца все же разыскал. Альберт Шанель, конечно, не ездил ни в какую Америку, он продолжал колесить по ярмаркам, торговать вином и всякой мелочью, например посудой, частенько даже нарушая закон, сильно пил и жил с такой же пьянчугой.

Мир семьи отца и матери для Шанель был закрыт, вернее, она сама захлопнула туда двери потолще приютских и никому не позволяла подглядывать даже в щелочку. Не будем и мы.

Но закончилось и приютское пребывание, в Обазине монахини оставляли только тех девушек, которые намеревались принять постриг. Джулия и Антуанетта пока остались, Габриэль и ее тетушка-ровесница Адриенна покинули стены приюта. Монахини учили девочек шитью, давая им навыки белошвеек, а потом старались пристроить куда-нибудь, чтобы была возможность заработать кусок хлеба.

Это действительно мог быть только кусок, даже просиживая над шитьем день и ночь, заработать на безбедную жизнь невозможно. И тогда Габриэль сделала попыт-

ку вырваться из бедности с помощью карьеры в... кабаре. Это второй секрет Мадемуазель, Шанель многое бы отдала, чтобы ее карьеру певицы кафешантана забыли.

Она не обладала никакими особенными данными:

ни вокальными, ни физическими, напротив, голос тихий и чуть с хрипотцой (которая усилилась, когда Габриэль начала курить), невысокая, худая, если не сказать тощая... И это во времена, когда в моде пухлые фигуристые дамы. Но мечта стать певицей оказалась сильнее доводов разума.

Габриэль и Адриенна жили уже самостоятельно, снимая крохотную комнатушку, днем работая в магазине, а вечера проводя за подработкой, все так же с иголкой в руках. Но это был уже не Обазин, а Мулен. Не Париж, конечно, но город, в котором имелись целых два (!) кафешантана. А еще рядом с Муленом квартировал 10-й егерский полк, кавалеристы которого посещали эти самые кафе по вечерам.

Две девушки быстро стали приятельницами кавалеристов (только приятельницами, поскольку в качестве любовниц не подходили, одна выглядела в свои двадцать два просто ребенком, а вторая — красавица Адриенна — производила впечатление принцессы-недотроги). Зато Габриэль была веселой и неунывающей. Именно в расчете на поддержку приятелей, составлявших основную массу посетителей кафешантана «Ротонда», и направила свои стопы Шанель к его директору, возжелав карьеры певицы. Верная Адриенна с ней.

пропев или станцевав. После этого можно пройти со шляпой по кругу, чтобы собрать деньги с посетителей. Провал? Вполне возможен, пара неудачных вечеров и несостоявшаяся звезда попросту изгонялась.

У Габриэль неудач не было, хотя пела она отвратительно. Просто в кафешантане сидели приятели из 10-го егерского. Разве они могли не поддержать подружку? Крики восторга заглушали само пение. Репертуар был небогатым — всего пара песенок, сыгравших в ее жизни заметную роль. Шанель пела куплеты с кукареканьем и еще одну песенку о потерявшейся собачке «Кто видел Коко у Трокадеро?».

Поддерживая свою подружку, егеря вопили:

— Коко! Коко!

Не нужно объяснять, к чему это привело?

Чуть позже, осознав, что прозвище прилипло основательно, Шанель немало злилась, но исправить уже ничего не смогла. Потом решила, что не имя прославляет человека, а человек имя, и превратила его в роскошный бренд! У великих всегда так.

Конечно, исполнение куплетов с кукареканьем в кафешантане заштатного городишки никому не добавляет плюсов в биографию, но как можно осуждать девушку, которой хотелось вырваться из бедности и однообразия грозившего ей существования?

Ободренная «успехом» в «Ротонде», Шанель, которую пока еще не называли Коко, решила попытать счастья в Виши. Виши не Мулен, там и публика другая, и кафешантаны роскошней, и возможностей куда больше. Бедной девушке уже виделся ошеломляющий успех и приглашение в Париж. «Подняться в Париж», как это тогда называлось... что могло быть заманчивей? Но...

В Виши не было егерей 10-го полка, вернее, те приезжали, но изредка. А для начала требовалось пройти просмотр хотя бы в какое-то кабаре. На ее и наше счастье (иначе не было бы знаменитой кутюрье и многих ее придумок) Шанель с треском провалила все показы! Голоса нет, внешних данных нет, умения двигаться тоже! Приговор был окончательным и обжалованию не подлежал.

Единственным человеком, никогда не верившим в будущий оглушительный успех Габриэль на сцене, был один из лихих кавалеристов Мулена Этьен Бальсан, хотя именно он дал денег на поездку в Виши и почти год поддерживал Шанель там. Страстный лошадник Бальсан как раз заканчивал службу в егерском полку и намеревался осесть в своем имении, недавно купленном и перестроенном под конезавод. Предложение последовать за ним Шанель приняла с радостью, потому что других перспектив просто не имелось.

В качестве кого? Если верить им обоим, любви не было, обычного содержания тоже. Жениться на ней Бальсан не собирался, но и становиться простой содержанкой Габриэль тоже не желала. Вообще-то у Бальсана была куда более роскошная любовница — одна из трех «великих» Парижа красавица Эмильенна д'Алансон, рядом с которой Габриэль выглядела встрепанным воробышком. Эмильенна умела обирать своих поклонников, Бальсан оказался одним из немногих, кто удержался от безумных трат на любовницу, не промотав свое состояние.

Завидовала ли Габриэль Эмильенне? Ничуть! Для нее жить на деньги любовника было почти позором. Но как же она жила в Руайо, в имении Бальсана? Удивительно, но практически сама по себе, на правах гостьи. До управления домом ее не допускали ввиду полной профнепригодности в этом деле, и сначала Шанель просто бездельничала. Потом обучилась верховой езде и стала блестящей наездницей! Но даже гостье на собственные расходы нужны деньги, пришлось подрабатывать изготовлением или переделкой шляп приятельницам Бальсана.

Первой оценила ее творения как раз Эмильенна, она же быстро организовала других клиенток.

Бальсан, судя по всему, был наивным и добродушным человеком, склонным прощать своим друзьям все. Время проходило весело...

Шанель рассказывала о таком случае. Однажды Бальсана попросили оказать гостеприимство некоему епископу, который проследует через Руайо. Конечно, Этьен согласился предоставить кров и принять священника с честью. Правда, для этого следовало приструнить свою «банду», что Бальсан и сделал. Он лично провел строгую беседу с дамами, наставляя, как держаться в приличном обществе. Все срочно «добавили скромности» в свои наряды, закрыли декольте и поклялись вести себя как подобает. В воздухе витало: «Это вам не...!». Дамы прониклись.

Епископ прибыл под вечер в сопровождении немалого числа бездельников и был принят действительно с почетом. Особенно отличилась Шанель, она столь «правильно» общалась с духовными лицами, что заслужила отдельное одобрение. «Банда» показала, что умеет держаться вполне по-светски.

Пока епископ переодевался к ужину у себя в спальне, довольный Бальсан снова произнес речь, смысл которой сводился к «можете ведь, черти, если захотите!» и «это вам не наша банда, святой отец есть святой отец, учитесь!». Но едва он успел закрыть рот, как в гостиную вбежала горничная, вся в слезах, мол, монсеньор пытался к ней приставать с неприличными намеками. Стены дома дрогнули от взрыва хохота!

Но Бальсан не сдался, взяв себя в руки, он строго заявил, что горничная что-то не так поняла и все должны продолжать производить приятное впечатление как ни в чем не бывало. «Банда» послушно опустила глаза.

Но дальше — больше, во время обеда епископ вел себя просто отвратительно, он пил как лошадь, строил глазки дамам и, что хуже всего, принялся приставать к метрдотелю, делая совершенно недвусмысленные намеки насчет своего интереса и называя бедолагу «мой шалунишка»... Бальсан от стыда не знал, куда деваться.

И только после обеда актриса Марта Давелли, всегдашняя участница веселья в Руайо, не выдержав, созналась. Епископ и его «набожная» свита оказались... нанятыми статистами из «Опера»! Теперь валялась от хохота вся компания, одураченная «банда» во главе с Бальсаном долго не могла прийти в себя. Скромное платье, в которое Шанель превратила свой откровенный вечерний туалет, отныне называли «епископским», а у Бальсана требовали наставлений по приличному поведению при гостях.

Именно в веселой компании, собиравшейся в Руайо либо разъезжавшей вместе с Бальсаном по разным турнирам, Шанель и получила прозвище Коко. Сама она, конечно, утверждала, что так называл ее отец. Не признаваться же в неудавшейся артистической карьере! Этьена Бальсана приятели прозвали Рикко, чтобы вместе с Габриэль они образовывали петушиный крик «Коко-Рикко!».

Бальсан не обижался, пришлось терпеть и Габриэль.

Компания действительно была веселой, бесшабашной, их даже иногда называли бандой. Там же Габриэль, уже прозванная Коко, познакомилась с людьми, сыгравшими в ее судьбе решающую роль. Одно знакомство — с Боем Кейпелом — состоялось наверняка во время одной из веселых поездок.

Кем был Артур Кейпел, которого друзья прозвали просто Боем?

ПОЧЕМУ БОЙ
НЕ ЖЕНИЛСЯ НА КОКО

Как родословная может
помешать любви

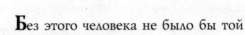

Без этого человека не было бы той Шанель, которую мы знаем.

Артур Кейпел, прозванный приятелями Боем, одновременно и хорошо известен, и загадочен. Никто не знал его родителей, о происхождении Кейпела ходили легенды. Однако он имел отменные манеры, был прекрасно образован, умен, красив и богат. Причем богатство не просто получил от отца (таковым называли французского банкира), но и смог приумножить сам. В Бое Кейпеле удивительно сочетались записной плейбой, расчетливый делец, умный политик и романтик. Он с равным успехом делал деньги, писал книги и статьи, играл в поло и ухаживал за женщинами. Деньги текли рекой, написанное принималось критиками с восторгом, а женщины были от Боя без ума.

Шанель тоже.

Возник своеобразный любовный треугольник, потому что Бальсан вдруг осознал, что пригласил Габриэль в свое имение не просто так, а по зову сердца. Но ее сердце уже безраздельно занял Бой.

Правда, это совершенно не мешало Коко опираться на финансовую и моральную поддержку Бальсана в своей деятельности. Вот в отношении этого у Бальсана и Кейпела категорически расходились взгляды.

Когда Шанель вдруг решила, что сидеть на шее Этьена не может и должна зарабатывать сама, она принялась сначала переделывать, а потом и сама изготовлять шляпки. Приятельницы-актрисы из «банды» стали ее первыми заказчицами, за ними последовали и дамы полусвета, а потом аристократки. Но заниматься этим в Руайо просто невозможно, Шанель уговорила Бальсана позволить ей организовать маленькую мастерскую на его крошечной холостяцкой квартирке в Париже. Бальсан махнул рукой, мол, организовывай.

Но когда квартирка стала слишком мала для того, чтобы там посадить нескольких работниц и устроить мало-мальски приемлемый салон, давать деньги на расширение мастерской приятель из Руайо отказался. Нет, он не был скупердяем, здесь дело в подходе к проблеме работы женщины. Иметь любовницу, даже такую странную, какой тогда была Шанель, и содержать ее, позволяя на своей квартире творить черт-те что, — это одно, это забава, развлечение, над которым в компании приятелей за стаканчиком вина можно и посмеяться. Но дать деньги женщине, чтобы та работала... ни один уважающий себя мужчина такого не позволит!

Бальсан плохо знал Коко: если та что-то решила, свернуть ее с пути избранного не под силу даже бывшему егерю. Деньги дал Кейпел, тот оказался хитрее. Бою было плевать на осуждение приятелей по игре в поло, он просто поручился в банке и открыл Шанель счет.

Нет никаких сомнений, что Шанель по-настоящему любила Боя, похоже, она вообще только раз и любила, все остальное было жалким подобием. Кейпел стал для нее всем — любовником (очень умелым и опытным), старшим братом, наставником, отцом... Для девочки, которая всю жизнь до этого мечтала об отце-защитнике, страшно переживала, что Альберт Шанель забыл о них с сестрами, получить заботливого красавца вообще равносильно выигрышу у судьбы.

Без сомнения, и Бой любил Коко, только чуть иначе. У него было немало женщин, о которых Шанель знала, но старательно делала вид, что не ревнует, словно искупая этим дар судьбы. Бой возвращался к ней, всегда возвращался. Он отказывался бросать эту женщину, словно найдя в ней нечто такое, чего не смог найти никто другой.

В некоторой степени Кейпел, словно Пигмалион свою Галатею, лепил Шанель, помогая ей стать не просто строптивой девчонкой, а женщиной, диктующей свою волю и свой вкус многим. Уже за одно это Коко могла любить Боя. А ведь он еще был и красив, и опытен.

Похоже, именно с ним она стала настоящей женщиной. Сама Шанель вскользь рассказывала о какой-то небольшой гинекологической операции: «Чик, и все!», после которой проблем больше не стало. Но это ее личное дело.

Кейпел воспитывал:

— Ты не права...

— Ты солгала...

— То, что ты сделала, плохо...

— Не смей так выражаться...

— Ты невоспитанная девчонка...

Попробовал бы кто-то другой сказать подобное! Даже Бальсану не позволялось. Видно, у Боя Коко почувствовала искреннюю заинтересованность.

Они явно никогда не разговаривали о своих семьях и своем прошлом, чувствуя, что делать этого не следует. У обоих было что скрывать, чтобы не ставить в неловкое положение другого, молчали и о себе. Хотя Кейпел наверняка от Бальсана знал, где тот нашел Шанель.

И все же Бой заметно стеснялся ее. Они почти нигде не появлялись вместе, если и посещали рестораны, то приходили и уходили врозь. Бой оправдывал это необходимостью соблюдать правила приличия, хотя любому было ясно, что он просто придумывает повод, чтобы не демонстрировать Коко рядом с собой. Можно представить горечь, которую испытывала Шанель, наверняка ее независимая натура с трудом сдерживалась, чтобы не порвать с Кейпелом окончательно.

Но были две причины, по которым она не могла

этого сделать: Бой финансировал ее текущие расходы, но, главное, Коко любила его! Любила и прекрасно понимала, что Кейпел может в любой день просто исчезнуть из ее жизни. Уйти, уехать, как когда-то отец, и больше не вернуться. Он не был ей чем-то обязан, а любил ли настолько, чтобы не суметь уйти, неизвестно.

Любила ли она его, если сцен ревности никогда не было? Любила, именно потому и не устраивала. Шанель знала: Кейпел мучается, он не может ее просто бросить, но стоит дать повод, закатив хотя бы одну сцену, и мужество для такого поступка у Боя появится. Сколько же нужно было сил, какое терпение, чтобы знать о его изменах, о том, что может бросить, и молчать! Она любила. Даже через много лет Шанель оправдывала своего неверного возлюбленного и за измены, и за пренебрежение к себе, чего не делала в отношении кого-то другого.

Этьену Бальсану надоел роман втроем, он предложил Коко замужество. Но время уже было потеряно, Коко уже почувствовала вкус свободы и первых собственных денег. К тому же для Бальсана была неприемлема работа Коко, мужчина не должен позволять ни жене, ни даже любовнице работать, это недостойно настоящего мужчины. Бальсан даже презирал Кейпела за то, что тот поощрял занятия Шанель.

К этому времени Коко начала уже шить не только шляпки, но и одежду. Она отказала Бальсану, и тот уехал залечивать душевные раны в Аргентину в надежде, что немного погодя Кейпел просто бросит Шанель и она, оставшись одна, вспомнит о своем друге из Руайо. Бальсан точно знал, что Бой никогда не женится на Коко.

Все произошло несколько не так, как ждал Бальсан. Коко занялась модой всерьез, добавив к шляпкам одежду. Что подтолкнуло к этому? Возможно, отчаяние. Кажется, в глубине души она не хуже Бальсана понимала, что никогда не станет мадам Кейпел. Желание доказать себе самой и ему, что чего-то стоит, отчаяние, стремление выбиться в люди, а еще простое желание обеспечить саму себя заставило Шанель развивать дело.

Бой не брал ее с собой никуда, лишь однажды ей удалось буквально вынудить любовника пригласить в казино. Это произвело эффект разорвавшейся бомбы, на следующий день клиентки валом повалили в ее мастерскую, смотреть, что же такое продает забавная протеже Кейпела. Заказов прибавилось, а вот радости едва ли. Чувствовать себя под перекрестными отнюдь не дружескими взорами не слишком приятно, особенно если у тебя за плечами всего лишь приют в Обазине и жизнь в Мулене. Шанель выдержала.

Подружки из Руайо были более снисходительны, они порой хорошо помогали. У Шанель уже были деньги, но, чтобы открылись двери парижских салонов, деньги были нужны во много раз большие. Это произошло позже, пока ее еще не вводили в круг богемы Парижа, но хотя бы приглашали в театр, ведь подруги из «банды» играли сами и имели достаточно состоятельных любовников.

Так Шанель попала на скандально знаменитую премьеру «Весны Священной» Стравинского в 1913 году. Просто одна из подружек-актрис Кариатис была приглашена своим немецким любовником на спектакль, которого Париж очень ждал, но пожелала взять с собой и французского любовника Шарля Дюллена, денег на такой поход не имевшего. Чтобы ситуация не сложилась слишком уж нелепая, требовалась еще одна свободная женщина. Подвернулась Коко.

Так, сама того не ожидая, она оказалась в гуще театральных событий. Кейпел водил Шанель на «Шехерезаду» в исполнении «Русского балета» Дягилева (до «Весны...» или после неизвестно), тогда на молодую женщину произвели неизгладимое впечатление декорации Бакста. Но в «Весне Священной» потрясающим было все: непонятный, непостижимый танец, декорации, но главное — музыка. Будь Коко воспитана в лучших традициях классического балета, она, возможно, и осталась бы недовольна, но у Шанель не было никакого опыта восприятия современной музыки, потому она поверила Кариатис и собственному вкусу и с удовольствием аплодировала, поражаясь тому, что весь партер свистит и вопит.

Публика действительно сходила с ума, такого не было никогда, достопочтенные зрители партера и лож буквально кидались друг на дружку с кулаками, а шум от топота ног, свиста и выкриков стоял такой, что музыки не было слышно вовсе. Сергею Дягилеву пришлось несколько раз выключать свет, пытаясь успокоить беснующихся парижских эстетов, а композитору просто спасаться бегством из зала.

Глядя вслед этому щуплому очкарику, думала ли Шанель, что через семь лет будет помогать Стравинскому выжить и ей даже станут приписывать роман с Игорем Федоровичем? А тогда она даже во время скандала, вернее до начала спектакля, заметила еще одно: на Кариатис явно оглядывались дамы, причем не осуждающе, а с любопытством, пытаясь запомнить фасон ее платья и то, как уложены и заколоты большим красивым гребнем ее волосы. Коко воочию увидела, что значит диктовать моду, но не в салоне, куда ходят только клиентки, а в театре.

Запомнилось.

Но Кейпел все чаще оставлял ее одну, правда, подбросив идею открыть свой бутик в курортном Довиле. Он арендовал для Коко помещение прямо на главной улице, чтобы модницы, прогуливающиеся вдоль пляжа под зонтиками, могли заглядывать и в бутик. К ней приехали младшая сестра Антуанетта и верная тетя Адриенна, у которой все продолжался многолетний роман с бароном из Мулена. Неизвестно, что говорили Коко Адриенна и Антуанетта, но даже их присутствие не спасло Шанель от тоски и одиночества. Кейпел отдалялся...

Спасала работа: только когда она вставала с ножницами в руках либо перед манекенщицей, либо перед рулоном ткани, она забывала о бедах и тоске. Работа будет спасать ее всегда, только в военное и послевоенное время, когда работы не будет, на Шанель навалится настоящая тоска.

Кроме того, работа давала деньги, а Коко прекрасно знала, что без них никуда. Рассказывая о тех годах биографам, Шанель все время подчеркивала, что была еще несовершеннолетней, маленькой девочкой, даже не имеющей права подписи, мол, поэтому Бой и опекал ее так строго. Это глупость, потому что в 1913 году, когда она всерьез взялась за производство одежды, Коко исполнилось тридцать лет. По любым меркам на ребенка не похоже!

И право подписи у нее давно было, и даже своя чековая книжка, из-за чего они едва не поссорились с Кейпелом. Бальсан отказался дать деньги на организацию ателье и бутика, только предоставил квартиру и предложил выйти замуж. Бой деньги дал, а потом сделал вид, что у нее есть свои, для чего просто открыл Шанель кредит в банке, положив туда в качестве залога собственные бумаги. Получив в распоряжение чековую книжку, Коко принялась тратить, не слишком задумываясь над суммами, нет, она не покупала все подряд, все же сказывалась крестьянская жилка, но кредит превысила. Сообщили об этом, конечно, Кейпелу как залогодателю. Он не стал выговаривать любовнице, просто мягко напомнил, что если та намерена купить что-то очень крупное или дорогое (а Шанель приобрела лаковые ширмы Кормонделя, оставшиеся с ней до конца ее дней), то нужно сначала предупредить его, чтобы лимит был повышен.

Наверное, в ту минуту над Коко разверзлось небо, а под ногами бездна, и грянул неслышный остальным гром. Она-то думала, что обрела свободу и покупает все на собственные деньги, потому тратила, не считая, а оказалось, что это любовник пополняет счет! Для Шанель это было абсолютно неприемлемо, она никогда не желала становиться содержанкой, всеми способами избегала этого с Бальсаном, начав изготавливать шляпки, чтобы иметь свои деньги и ничего не просить у любовника. И вдруг обнаружить, что живешь за счет другого...

Потрясение оказалось сильным, она даже швырнула в лицо Кейпелу сумочку и убежала из квартиры, в которой жила. Оставаться в оплаченной любовником квартире и на его деньги... Бой сумел вернуть ее и убедить принять эти средства. Тогда у Коко родилось твердое решение встать на ноги самой и все вернуть Кейпелу, причем с процентами!

Со следующего утра с рассветом она была уже в ателье, чем привела в неописуемое изумление персонал, не привыкший видеть владелицу так рано. Началась работа. Если Кейпел и сделал Шанель, то не только поддержкой в первые месяцы, а скорее именно в тот день. Работа принесла свои плоды, уже через год Шанель смогла не только выплатить Кейпелу вложенные в дело средства, но и «накинуть» проценты. Она встала на ноги.

Бой очень... расстроился, вздохнув:

— Я думал, что даю тебе игрушку, а дал свободу.

Свободы не вышло, она все равно осталась привязана сердцем, а эта связь куда крепче любой другой....

По совету Кейпела Шанель с началом Первой мировой войны не закрыла свой бутик в Довиле и оказалась единственной из торгующих одеждой. Бежавшие при наступлении немцев из восточных имений в Довиль дамы нуждались в новых платьях, причем лучше таких, в которых было бы удобно работать в госпиталях и которые можно надеть без помощи горничной. Именно поэтому модели Шанель стали столь популярны. В то время, когда Франция едва не рухнула, она сама оказалась на высоте. В трудностях Франции вины Коко не было ни малейшей, а не заработать, когда есть возможность, просто грех. И женщинам очень понравились удобные, недорогие платья без жестких корсетов, множества рюш и оборок, без турнюров, такие, в которых можно не только свободно ходить или сидеть, но и бегать. Даже после войны женщины не пожелали отказываться от приобретенных у странной портнихи удобных нарядов. Впервые Шанель победила, она ввела кроме моды на шляпки моду на удобные платья.

Артур Кейпел тоже побывал на войне, правда, занимался больше поставками угля со своих угольных шахт в Англии, но пороха понюхал. И даже во время военных действий он сумел выбраться к любовнице и свозить Коко в Биарриц — курорт на границе с Испанией. В Биаррице было тихо, спокойно, много аристократической публики и никаких кутюрье! Через месяц аристократки уже стояли в очереди, желая заказать наряд у Шанель. Биарриц стал Клондайком для Шанель не только в военные годы, но и на долгий срок.

Количество открытых бутиков росло, благосостояние новой кутюрье тоже. Ее соперник — Поль Пуаре, в последние годы диктовавший моду и предложивший стиль «Шехерезада» с настолько узким внизу платьем, что дамам приходилось стягивать колени резинкой, потому что при слишком широком шаге подол просто рвался, в военное время занялся изготовлением формы для армии, остальные забились по щелям. Шанель вполне воспользовалась моментом. Вернувшись на подиумы после войны, Поль Пуаре и остальные с изумлением обнаружили, что там царит вчера еще никому не известная портниха из Мулена.

Коко никому не говорила, что она из Мулена, но это мало что меняло. Место диктатора моды заняла практически самозванка! Это было неприятным открытием, но Поля Пуаре нимало не обеспокоило. Глупышка свернет себе шею за пару лет окончательно, что она может предложить? Какое-то убожество, разве такой должна быть женщина? Даму нужно холить и лелеять, водить, поддерживая под локоток, чтобы не упала, помогать одеваться и раздеваться (лучше второе)... Шанель предлагала все иное — самостоятельную женщину, одевающую платье без помощи горничных и двигающуюся широким шагом (и никаких резинок на коленях!).

Надо ли говорить, что женщинам понравилось предложение Шанель, они не желали возвращаться к тюрбанам и нарядам Шехерезады. Побеждала Шанель!

А где все это время был Бой? Он воевал, зарабатывал деньги, периодически ездил отдыхать с Коко, временами ночевал на квартире, которую снял для них. Но предложения выйти замуж не делал.

Почему? Коко уже не была той глупышкой из Руайо, которую нужно учить есть устрицы или объяснять, что подпись в чековой книжке чего-то стоит только тогда, когда на счету есть средства. Это была стройная красавица, диктующая моду, по ее примеру женщины окончательно отказались от корсетов, оголили икры ног, перестали бояться загара, а потом и вовсе постриглись. Своим примером она заставила женщин Парижа, а за ними и почти всей Европы раскрепоститься, почувствовать себя самостоятельными и свободными. Одежда для женщин всегда очень много значила, сознание самой себя в корсете или без него разительно отличается, а возможность носить то, что хочется, а не то, что придумали мужчины, мало заботившиеся об удобстве прекрасного пола, добавляет уверенности.

Коко победила, она имела достаточно средств, она диктовала моду Парижу (пусть пока еще не царя в ней безраздельно), она была молода, хороша собой, активна... Чего не хватало Бою? Не любил?

Нет, скорее иное. Кейпелу, даже в большей степени, чем Шанель, было нужно положение в свете. Это Коко могла позволить себе устроить скандал в обществе, предложив новый фасон шляпки или платья. Это с ней считались дамы, выбирая, где сделать талию. Бой вращался в совсем других кругах — деловых. Банкирам в Довиле или Биаррице можно представить Коко Шанель, даже если те с женами. Это даже хорошо, жены придут в Париже в ателье и закажут себе что-то новенькое, а потом приведут знакомых. Так обычно и случалось. Но это ни в коем случае не означало, что Коко примут в свой круг или допустят в гостиные Парижа или Лондона.

Она никто, всего лишь портниха, модная, своеобразная, но портниха. Она на другой ступеньке, иметь ее любовницей не возбранялось, тем более Кейпел не был женат. Но если бы Бой захотел жениться на Шанель, он тоже опустился бы на эту ступеньку. Опустился, а Кейпелу так хотелось подняться или закрепиться на той, куда он смог пробиться благодаря собственным усилиям. Шанель была гирей на его ногах, а гиря не воздушный шар и вверх не тянет, норовит, напротив, прижать к земле.

Если бы любил, то наплевал на такие условности. Денег у них было достаточно, чтобы жить припеваючи, мог бы помочь ей окончательно встать на ноги. Если бы любил...

Но Кейпел не наплевал, он рвался в высшее общество, а потому свою связь с Коко старался не афишировать. Бою была нужна другая жена, пусть не такая красивая (а Коко тогда была настоящей красавицей, это потом резкое выражение лица красоту подпортило и испортило окончательно), не такая оригинальная, не такая деловитая, но из того самого высшего общества, куда он стремился. А Шанель... ну что Шанель, любовница, и все...

Понимала ли она такое положение? Много лет позже Шанель делала вид, что нет, мол, предательство Боя для нее явилось полной неожиданностью. Думается, это ложь, все она прекрасно видела и понимала, Кейпел предал ее не вдруг. Просто не хотела даже самой себе признаться, что готова терпеть такое положение дел, потому что любила. Любовь зла...

Она по-прежнему не давала никаких поводов, терпеливо сносила его отлучки и забывчивость, то, что Кейпел с радостью менял ее общество на общество светских дам (обычно в Лондоне), что больше не показывался с ней нигде и в Париже, ведь она стала слишком заметной фигурой, достаточно одного похода в ресторан, чтобы все заговорили о любовнице Кейпела. Коко было достаточно и их маленького гнездышка, но Бою нет, он хотел в свет, а вести туда с собой Шанель не мог. Он вращался среди тех, для кого образованием считались приличные колледжи или университеты, кто мог похвастать родословной, владел несколькими языками и демонстрировал знания, просто недоступные для девушки из Мулена. Сам Кейпел хоть и не имел родословной, зато образованием блеснуть мог. Коко этого не дано, несколько позже она научится всему сама, не без помощи друзей, конечно, но все же.

А тогда девушка с таким прошлым, какое было у Шанель, напрочь перекрывала Кейпелу все будущее. Возможно, его сердце и рвалось в квартирку в Париже, где его ждала забавная портниха, успешно превращающаяся в кутюрье, но разум велел оставаться в Лондоне. Возраст диктовал необходимость жениться, Кейпелу был нужен наследник.

Шанель было тридцать пять и о замужестве говорить поздновато (хотя она еще не раз будет намереваться обзавестись супругом). Кейпелу тридцать семь. Его супруге Диане Уиндем, урожденной Рибблсдейл, женщине из «очень» высшего общества, двадцать пять. У нее за плечами уже был брак, муж Дианы Перси Уиндем погиб на фронте. Молодая вдова была красива, умна, образованна и принадлежала к элите английского высшего общества.

Что бы там ни говорила Шанель, никакой домашней клушей Диана не была и дурнушкой тоже. Они с Кейпелом познакомились на фронте, когда миссис Уиндем вела машину «Скорой помощи» Красного Креста на фронте во Франции. И как бы ни отрицала Коко, страсть, вспыхнувшая между Боем и Дианой, была настолько сильной, что не забылась даже через несколько лет, когда Кейпел решил-таки жениться.

Страсть явно была взаимной, потому что молодая вдова презрела осуждение света и родственников и вышла замуж за полуфранцуза, как называли Кейпела. Скандал, и чтобы на него решиться, молодой леди нужно было сильно любить своего избранника.

Любовнице о предстоящей женитьбе Бой не сказал, не решился. Он всячески делал вид, что все прекрасно, дарил Шанель цветы и драгоценности, словно заранее вымаливая прощение. В связи с этим у них тоже едва не произошла настоящая ссора. Преподнесенную дорогую диадему от Картье Коко просто не знала, как приспособить, что вызвало у неосторожного Боя смех. Шанель налетела на любовника почти с кулаками, укоряя в том, что он знает многое, чего не знает она сама. Возможно, это тоже показало Кейпелу разницу между Дианой и Коко. Не знаю, подарил ли он невесте книгу «Размышления о победе», но Коко подарил, причем свой собственный экземпляр с пометками. И рукопись тоже отдал ей. Вряд ли это помогло Шанель понять образ мыслей Кейпела, эти размышления были от ее собственных размышлений так далеки...

Стоит ли удивляться, ведь все образование Коко составляла школа в приюте Обазина. Чему могли научить монахини? Читать, писать (между прочим, почерк у Шанель четкий, но... как бы мягче выразиться... малограмотный, буквы словно нарисованы, а не написаны, так обычно пишут те, кому не часто приходится это делать), считать... Но всемирную литературу и историю искусств не преподавали наверняка, ни к чему история искусств выпускницам обазинского приюта. Где она могла научиться красиво излагать свои мысли, даже если те и были?

Но Кейпел не мог становиться Пигмалионом для Шанель во всем, сделал из нее бизнес-леди, и ладно. Успешной предпринимательницей Коко стала быстро, все схватывая на лету. Если бы ее обучали с детства, еще неизвестно, что мы получили бы в результате.

Кейпел собрался жениться... Мир тесен, Шанель не могла не услышать эту новость или не прочитать в газете, такие происшествия, как помолвка дочери лорда Рибблсдейла, незамеченными не остаются.

Умерла надежда стать женой Боя, Коко снова осталась одна... Еще раньше умерла другая надежда, о которой Шанель вспоминала и говорила крайне редко, практически никогда, только если забывалась и проговаривалась. Мало кто понимал, о чем она. Однажды Коко проговорилась своей подруге-психоаналитику Клод Делэ. Однажды ей стало плохо, акушерка не смогла ничем помочь и пришлось вызвать доктора Жан-Луи Фора. Но и доктор оказался бессилен. У Коко случился выкидыш.

Все. Больше никаких комментариев с ее стороны. Только внимательное изучение этого времени буквально по дням помогает понять, что она лежала в клинике на сохранении, но ничего не помогло. Однако Бой об этом так никогда и не узнал... А если бы узнал? Нет-нет, это слишком похоже на шантаж, до такого Шанель не унизилась бы. Рожать ребенка от любовника одно, а заставлять жениться из-за этого — совсем другое.

Кейпел женился на другой, и Диана родила ему дочь. А Шанель после выкидыша была обречена на бесплодие. Есть еще версия, что это результат сделанного давным-давно, еще в Виши или Мулене, аборта. И другая версия — что племянник Андре, якобы рожденный старшей сестрой Джулией в бытность в Обазине и умершей при родах, в действительности сын самой Коко, потому она так обхаживала этого мальчика, а потом молодого человека, всю жизнь содержала его и его дочь, тоже

Габриэль. Что ж, и это может быть, но Мадемуазель не раскрывала секрета, а это не тот скелет, который стоит из шкафа вытаскивать.

Вернемся к тем дням, когда стало ясно, что Бой женится на другой.

Что сделала Шанель? Обрезала волосы. Конечно, она навыдумывала разных историй со вспыхнувшей газовой колонкой, подгоревшей прядью, недостатком времени перед театром... Времени, чтобы уложить волосы, прикрыв подгоревшую прядь, не хватило, а постричься и соорудить новый наряд оказалось достаточно.

Театр был полон, и ложи блистали, но их блеск мгновенно затмило появление Коко Шанель в новом виде. Она обрезала волосы! Разве она первая, разве никто из женщин не стриг своих кос до Шанель? Конечно, не первая и, конечно, стригли, но раньше это воспринималось как наказание. Никто же не знал, что это тоже форма протеста, решили, что желание выделиться.

Через неделю постригся весь Париж, свои длинные и не очень, густые и реденькие, белокурые, золотистые, черные как воронье крыло и даже седые волосы отрезали дамы, девушки, старушки... Если б это помогло вернуть Боя! Но Кейпел принадлежал другой... Когда он приехал, чтобы все же сказать Коко о своей женитьбе, то долго не мог решиться открыть рот. Она все поняла сама и сама спросила:

— Ты женишься?

Из квартиры ушел он, оставив жилье Коко, но Шанель не смогла оставаться там, где была счастлива с любимым. Еще раньше, не желая попадаться на глаза знакомым с Шанель, Кейпел убедил ее снять виллу «Ла Миланез», там они могут быть вдвоем, только они и никого больше. Понимала ли Коко, что это просто повод, чтобы не выходить вместе с ней в свет? Наверное, понимала, но, как страус, прятала голову в песок.

Теперь прятаться было невозможно, Бой женился, причем жить остался в Париже! Тогда казалось, что она уже не сможет простить, никогда и словом не перекинется с Кейпелом. Можно возразить, что Бой ведь не обещал жениться, никогда не обещал, что не стоило надеяться, он и так много помог, ему нужно устраивать свою жизнь. Правильно, все правильно, только вот сердце не желало этого понимать, оно болело. Похоже, Кейпел действительно был ее единственной настоящей любовью на всю жизнь, не только его, но и ее, которая продлилась много дольше.

Воспитанная в обазинском приюте дочь нищей Жанны Деволь и ярмарочного торговца Альберта Шанеля не подошла аристократу Артуру Кейпелу, он выбрал миссис Диану Уиндем. Однако их жизнь не сложилась счастливо. Диана уже в следующем году родила Кейпелу дочь, потом снова оказалась беременна. Шанель не грозило и это, она больше не могла иметь детей. Но Бой снова появился в ее жизни, оказалось, что и его сердце не желает слушать голос разума! И Шанель... приняла неверного любовника. Она постаралась забыть, что он женат (при этом одевая его супругу!), и снова закрывала глаза на то, что Кейпел изменяет супруге не только с ней.

Положение любовницы, одной из, да еще и у женатого мужчины. Насколько же нужно любить, чтобы соглашаться на такое! Коко в свои тридцать пять выглядела лет на десять моложе, была настоящей красавицей, за которой увивались мужчины, надеяться на женитьбу на ней Боя больше не стоило, что же кроме любви могло заставить ее так унижаться?

А потом... Боя не стало. В самом конце 1919 года у автомобиля, на котором Кейпел ехал из Парижа в Канн, на полном ходу лопнула шина. Бой погиб сразу, его механик получил тяжелые травмы.

Зачем он ехал в Канн? Одни говорили, чтобы встретить Рождество с супругой, которая должна прибыть из Лондона позже, другие, что собирался объявить ей о разводе. Шанель он обещал вернуться к ней в Париж к Новому году. Сама Диана в это время встречалась в Лондоне с кузеном, который был в нее давным-давно влюблен и надеялся жениться, только дважды опаздывал, красавицу перехватывали другие. Время проводили хорошо, уже было понятно, что миссис Кейпел возражать против развода с Боем не будет.

Разводиться не пришлось, Артур Кейпел был кремирован в Сочельник...

В жизни Шанель наступил настоящий мрак, выбраться

из которого самостоятельно она просто не смогла бы. В тридцать шесть лет потеряла свою единственную любовь. Вокруг никого, потому что сестра Антуанетта занята своей жизнью, у Адриенны своя. Одна, совсем одна, и надеяться, что Бой завтра приедет и его улыбка снова осветит ее жизнь, бессмысленно. Боя больше не было ни верного, ни неверного, ни холостого, ни даже женатого на другой.

А что же Диана? Ее друг, тот самый кузен Дафф Купер, писал, что она была несчастлива в браке с первого дня, отношения с супругом не сложились, рождение дочери, а не сына, как Бой надеялся, испортило их окончательно. Кейпел быстро понял, какую ошибку совершил, он практически не общался с женой, с трудом терпел ее присутствие, жаловался, что Диана действует ему на нервы. Однако к моменту гибели мужа Диана снова была беременна.

Кажется, будто Бой предвидел свою смерть, потому что у него оказалось готово завещание. Из 700 000 франков по этому завещанию Шанель получила 40 000, еще 40 000 получила вторая любовница Кейпела — итальянка, родившая ему дочь. Остальное оставалось жене и детям. Оскорбило ли Коко сообщение о существовании еще одной любовницы? Едва ли, она наверняка знала, что Бой неверен не только жене, но и ей тоже.

На свои 40 000 франков Коко расширила свое ателье на рю Камбон и купила новую виллу, потому что жить там, где была счастлива (пусть и с оговорками) с

Боем, не смогла. Новая вилла в Гарше — «Бель Респиро» — знаменита тем, что на ней жили Стравинские и вообще бывало много русских.

Боя Кейпела больше не было, но жизнь продолжалась, и Шанель надо было как-то выкарабкиваться из одиночества и мрака, в который она попала. Вот тут и помогли русские. Немного погодя у Коко началась новая жизнь, в которой больше не было поддержки Боя, но в которой она сама была хозяйкой. Успешной, весьма успешной хозяйкой. Коко стала настоящей Шанель, той, которую запомнил весь мир!

«РУССКИЙ СЛЕД»
В СУДЬБЕ КОКО ШАНЕЛЬ

Куда ж Парижу без русских...

Ни, ни, ни! Не подумайте чего дурного, русских корней в родословной великой Мадемуазель найдено не было, во всяком случае (и далее) пока. Чистейшей крови француженка.

И все же Россия и русские сыграли в ее жизни очень важную роль. Конечно, Англия, Италия или США не меньшую, не говоря уже о Германии или Швейцарии, но мы о своем, оно ближе...

Увлечение Парижа всем русским началось с 1906 года, когда Дягилев привез выставку картин русских художников. На следующий год он познакомил парижан с русскими композиторами, устроив множество концертов, а с 1908 года начались знаменитые «Русские сезоны» Дягилева. Оперные и балетные труппы, составленные из звезд Мариинки и Большого, ожидал аншлаг. Немыслимый бас Федора Шаляпина, вызывавший мороз по коже, божественная Анна Павлова, потрясающая Тамара Карсавина, парящий в прыжке Вацлав Нижинский... Декорации Бакста... музыка Римского-Корсакова, Бородина, Стравинского... Перечислить все роскошество виденного и слышанного невозможно. Парижане отбили ладоши, аплодируя.

Потом оперу привозить перестали, а балет даже перерос в собственную постоянную труппу «Русский балет» Дягилева.

А потом в России грянула революция, и Париж оказался наводнен русскими уже по другому поводу. Наиболее предусмотрительные перевели деньги за границу заранее и сами уехали тоже, другие, как Стравинские, оказались вне России, но их средства остались дома, третьи и вовсе бежали налегке, в том числе через Стамбул, и пополнили ряды парижских безработных.

Далеко не все стойко перенесли лишения, смогли устроить свою жизнь заново, заработать или не потратить последнее, найти себя. Париж был полон очень разными русскими.

Коко Шанель не слышала баса Шаляпина и не видела божественную Павлову просто потому, что жила далеко от Парижа, сначала в Мулене, потом в Руайе. Но вместе с Боем Кейпелом она уже посещала театр (Кейпел водил ее на «Шехерезаду», балет произвел на Шанель неизгладимое впечатление, например, роскошные декорации Бакста она вспоминала и через несколько десятилетий). Есть биографы, утверждающие, что они присутствовали на скандально знаменитой премьере

«Весны Священной» Игоря Стравинского, когда крики поклонников и противников нового балета заглушали музыку, а сами зрители устроили настоящую потасовку, защищая каждый свое мнение. Скандал на премьере балета произошел 29 мая 1913 года, тогда Шанель была весьма озабочена другим — развитием своего бизнеса, который только-только стал приносить заметный доход, она открыла первый бутик в курортном Довиле.

Имелись еще две проблемы, из-за которых сам Кейпел едва ли повел бы свою подругу на скандальную премьеру. Первая из них заключалась в том, что от любого перевозбуждения Коко падала с обморок. Просто теряла сознание безо всяких внешне видимых причин. Почему, никто не знал, и Бой Кейпел старался «воспитать» свою подружку, милостиво разрешая ей падать:

— Я рядом с тобой, падай, когда захочется.

Тогда ее действительно пугало все подряд, резкие спазмы сосудов головного мозга вызывали мгновенную потерю сознания. Возможно, поэтому Бой и увез Коко в Довиль на отдых. Им было не до Стравинского и новых балетных веяний.

А потом началась Первая мировая война, когда Шанель была единственная, кто не закрыл свой бутик в Довиле, это привело к появлению огромного числа богатейших клиенток и безусловному успеху новой кутюрье. Кстати, тогда ей уже исполнилось тридцать, но биографам Мадемуазель твердила, что она не имела права подписи на финансовых документах банка, потому что «была маленькой девочкой»!

Второй причиной могло стать то, что Кейпел не слишком стремился афишировать свою связь с Шанель, они редко появлялись вместе в многолюдных местах, а если и бывали в «Максиме», то даже покидали ресторан поодиночке. Шанель не противилась, она понимала свое место. Скорее, она действительно была там с Кариатисом и Дюлленом, как пишет Эдрих.

Итак, русские уже в Париже, а Коко — больше в Довиле. Всему свое время.

Всерьез с русской диаспорой и богемным миром Парижа Шанель познакомилась после смерти Боя Кейпела. Ввела ее туда Мизия Серт, или просто Мися, как звали польку многочисленные друзья.

Это ее подруга-змея на всю оставшуюся (до смерти самой Мизии) жизнь. Почему змея? О! Мися Серт столь удивительное создание, сыгравшее в жизни Шанель огромную роль, что о ней стоит рассказать подробней.

Полька Мария София Ольга Зинаида Годебска, мадам Натансон, мадам Эдвардс, а потом и мадам Серт, как ее называли в Париже, — Мизия, родилась в 1872 году в Санкт-Петербурге. Она была красива именно в духе модного тогда бель-эпок: с величавой осанкой, тонкой талией и высокой грудью, пышущая здоровьем, полная жизни. Мися к тому же была остра на язык, не боялась крепких (иногда излишне крепких) словечек, которые в устах божественной Мизии звучали скорее пикантно, чем грязно.

Блестящие глаза, копна светло-каштановых волос, отменный цвет лица — все это отражают многочисленные портреты красавицы, написанные Ренуаром, Тулуз-Лотреком и многими-многими другими. Позже Мизия похудела, даже высохла, но колкости языка и язвительности не потеряла. Она всегда была в центре внимания, жизнь для Мизии — захватывающее приключение.

Родилась будущая «королева Парижа», когда ее мать Эжени Софи, решив разыскать «застрявшего» в Петербурге с любовницей (между прочим, ее собственной теткой) мужа — Сиприена Годебски, в студеную зимнюю пору отправилась в столицу России. Мужа нашла, в измене убедилась, родила дочь и умерла, оставив малышку сиротой.

Девочку воспитывали родственницы, прежде всего бабушка. Как и Шанель, она много лет провела в монастыре, правда, это обитель Пресвятого Сердца в центре Парижа на бульваре Инвалидов. Мизия была талантливой пианисткой и могла бы сделать неплохую карьеру на музыкальном поприще, но предпочла вести жизнь праздную, зато весьма насыщенную впечатлениями.

Кто-то эту жизнь должен был оплачивать. Первым супругом Миси стал ее кузен Таде Натансон, редактор журнала «Ревю Бланш», что давало ей возможность оказывать заметное влияние на художественные вкусы парижан. Вторым мужем стал миллионер Альфред Эдвардс, газетный магнат, которому принадлежало так много, что одно перечисление его недвижимости заняло бы страницу. Эдвардс влюбился в Мизию с первого взгляда и попросту... купил ее у Натансона. Париж был в шоке: Таде Натансон согласился уступить жену в обмен на финансовую помощь! Можно заметить, что Эдвардс обхаживал пару Натансон довольно долго — около пяти лет и ловко организовал разорение Тада, потому особого выбора у теперь уже бывшего супруга Мизии не оставалось, Мизия стоила безумно дорого, а денег не было. Эдвардс предложил ему место управляющего какими-то своими рудниками подальше от Парижа и позора («отправил на уголь»), а Мизии — брак и роскошное содержание. Молодая женщина согласилась.

Теперь у нее было все: деньги без счета, лучшие драгоценности, меха, роскошная яхта, собственная ложа в опере, салон, который посещали знаменитости и просто очень влиятельные люди Парижа. Не было только самой жизни, потому что у Эдвардса нашлись два недостатка, перечеркнувшие все достоинства. С первым — сумасшедшей ревностью — Мизия еще как-то могла бы мириться, но второй — склонность к копрофилии (сексуальное извращение, при котором человек возбуждается только при виде... фекалий!) — мог отравить жизнь кому угодно.

На счастье Мизии, любовь к ней Эдвардса продлилась недолго, через четыре года он влюбился в бисексуалку Женевьеву Лантельм, бывшую проститутку, актрису и потребительницу кокаина. За расторжение брака Мизия получила немалый куш и постоянное содержание, чему была очень рада. Новую супругу Эдвардс через пару лет попросту утопил — помог ей упасть за борт яхты, а через год умер от гриппа и сам, оставив Мисе свободу и деньги. Кстати, одной из прежних любовниц Эдвардса была уже известная нам Эмильенна д'Алансон.

Конечно, прекрасная полька недолго страдала от потери такого супруга, когда тот женился на Лантельм, в ответ быстро завела любовника — Хосе-Марию Серта. Мися с испанцем не могли пожениться, так как условием немалого содержания со стороны бывшего мужа было безбрачие отпущенной на волю супруги, при этом Эдвардс совершенно не ревновал Мизию к Серту, наверняка не видя причин для ревности.

Как можно ревновать роскошную красавицу-польку к заросшему черными волосами чудовищу? У Серта и впрямь волос не было только на кончике носа и на темени, зато все остальное тело покрыто ими так густо, что Хосе-Мария выглядел плюшевым медвежонком. Обжора, сибарит, самоуверенный до неприличия, маленький, толстый, вечно пыхтящий и шепелявящий... Но каким же обаятельным было это чудовище! Хосе-Мария любил жизнь во всех ее проявлениях не меньше Миси и знал о ней безумно много. Посредственный художник, Серт стал монументалистом, расписывая огромные пространства соборов, заказы сыпались один за другим, оплата не отставала.

Шанель вспоминала, что он был потрясающим экскурсоводом, умеющим внушить слушателям причастность к величайшим шедеврам, создавалось впечатление, что любой скульптор, любой художник, любой архитектор, о котором рассказывал Серт, творил именно для тебя.

Но главное — Серт научил Шанель жить так, как она и не мыслила до этого. Все предыдущие годы показали Коко, что основа спокойствия — деньги, их нужно зарабатывать и зарабатывать. Это же доказывал и помогал ей осуществлять Бой Кейпел, он учил делать деньги. Серт научил их тратить. Казалось бы, что за странный опыт, кто же не умеет тратить деньги? Но это дано не каждому, Хосе-Мария Серт умел тратить красиво, жить беспечно, так, словно имел кубышку, никогда не бывающую пустой. Серт сам зарабатывал и тратил состояния, так же стала поступать и Шанель. Нет, они не просаживали безумные деньги в казино и не покупали яхты в каждом порту, не оклеивали стены франками, не спускали их в унитазы и не поджигали купюры, чтобы посветить себе. Но не жалели средств на хорошую еду, удобное жилье, дорогие красивые безделушки, машины, путешествия...

Девочке, воспитанной в строгости и бедности сначала семьи, а потом приюта, было бы трудно научиться этому самой. Уроки Серта пошли впрок, к ним добавилась крестьянская осмотрительность Шанель, и получилась весьма привлекательная смесь. Коко зарабатывала целые состояния и легко тратила их, однако никогда не влезая в долги и не оставаясь на мели даже в самые трудные годы жизни. Серт так не умел, он то сорил деньгами, то сидел без них, делая долги в надежде на будущие заработки, которые, правда, всегда бывали. Серты никогда не одалживали только у одного человека — у самой Шанель, словно Мися чувствовала, что тогда попадет в некую зависимость от подруги.

С Сертами Шанель познакомилась еще при жизни Боя, но тогда Кейпел не допустил близкой дружбы Коко с Мисей. Почему? Почувствовал какую-то угрозу своему влиянию? Возможно так.

Мисю Поль Моран назвал «пожирательницей гениев». Это верно, Мизия нюхом чуяла любой талант, оказавшийся в поле зрения, и если он еще не был «оприходован», брала под свою опеку. С Шанель они встретились в доме Сесиль Сорель. В молчаливой молодой женщине Мися сразу уловила нечто необычное, на следующий день явилась в ее ателье на рю Камбон, провела там несколько часов и напросилась на вечер в гости. Но пока тем и ограничилось, Кейпел не приветствовал новое знакомство Коко.

Когда Кейпел погиб, Шанель переживала так сильно, что превратилась в собственную тень. На помощь пришли Серты, они буквально вытащили Коко в поездку по Италии. Серт показывал обеим женщинам не открыточную, глянцевую Италию, а ту, которую любил и знал сам. Хотя поездка дорого обошлась Шанель (платила в основном она), Коко ни разу не пожалела о проведенном времени и потраченных деньгах. Серт влюбил Шанель в Венецию. А еще именно там Мися и Серт познакомили ее с Дягилевым.

Познакомили, конечно, громко сказано, потому что Коко просто завтракала вместе с Сертами, Дягилевым и великой княгиней Марией Павловной-старшей. Разговор шел о новой постановке «Весны Священной» Стравинского, на которую Дягилев возлагал большие надежды, но нужны деньги. А вот денег у Дягилева, как всегда, не было. Настоящий фанатик пропаганды русской культуры во Франции, он уже потратил все свое состояние на устройство выставок и выступления «Русского балета». В Петербурге его поддерживала великая княгиня Мария Павловна-старшая, но теперь большинство русских и сами оказались без средств, потому Дягилев задолжал всем подряд, начиная от собственных артистов до поставщиков костюмов или пожарных театра.

Мизия очень любила вспоминать, как однажды надолго задержали генеральную репетицию спектакля, потому что костюмы оказались арестованы. Дягилев умолял помочь, и она спешно съездила за несколькими тысячами франков в гостиницу, чтобы выкупить реквизит. Мися действительно помогала Дягилеву, но в основном разыскивая ему меценатов, готовых оплатить очередной долг.

На Шанель в этом разговоре во время завтрака не обратили внимания, портниха была серой тенью Миси. Сама Коко старалась держаться незаметно, почти не разговаривала (какой контраст с будущей Шанель, которая позднее безусловно царила в любой беседе!), больше слушала, впитывая впечатления, запоминая и учась. Ученицей Шанель оказалась прекрасной: рожденная в богадельне и воспитанная в приюте, вынужденная распевать куплеты в кафешантане заштатного городка, она быстро стала не только законодательницей моды в блестящем Париже, но и весьма светской дамой, а ведь учиться пришлось всему. Шанель называла Серта своим университетом, несомненно, так и было, именно он привил интерес к настоящему искусству, умение разбираться не только в людях, но и в том, что они создают. При всех недостатках характера, вкус у Шанель был отменный. Конечно, главное здесь — врожденное чувство меры и прекрасного, но немало значил и приобретенный опыт общения с этим прекрасным.

С этого времени начался настоящий «русский» период для Шанель.

Вернувшись в Париж, она посчитала свои доходы и с удовольствием осознала, что может помочь Дягилеву поставить его балет! Но как отдать эти деньги Сержу? Через Мисю почему-то не хотелось, Коко словно чувствовала, что тогда так и останется на заднем плане за своей новой подругой. Однако если Мися узнает, что Шанель отдала деньги прямо Дягу (так по-приятельски называла Дягилева сама Мися), то обида будет невообразимой.

И все же Коко решилась, она отправилась в гостиницу к Дягилеву и вручила ему чек на сумму, превосходившую все его ожидания (по словам самой Шанель, это были 300 000 франков — совершенно сумасшедшая по тем временам сумма!), поставив только одно условие: никогда и никому не рассказывать, от кого получены средства. Странная просьба, не так ли? Парижская портниха протягивала чек на огромную сумму, притом что многие аристократки не выделяли и сотой доли такого. А еще просила сохранить огромный дар в тайне.

Наверное, бедный Дяг пережил немало беспокойных минут, когда шел с чеком в банк. Странная женщина... Но чек оказался настоящим, сумма на счету у Шанель вполне достаточной, деньги получены, балет поставлен.

Сама Коко вспоминала, что потом больше полусотни раз помогала Дягилеву выплачивать его долги. Добавим: никогда и ничего не требуя и даже не ожидая взамен. Кроме одного: быть «своей» в этом богемном кругу.

Догадалась ли Мися? Наверное, хотя Дягилев даже ей не сказал, кто именно оплатил постановку. Секрет раскрыл уже после смерти Дягилева его секретарь Борис Кохно в своих воспоминаниях. Но по тому, что Шанель вдруг стала своей для дягилевской труппы, Мися могла догадаться, откуда ветер дует. Однако если и поняла, то вида не подала.

Вообще-то для Мизии это был удар по самолюбию, она должна царить абсолютно во всем, везде быть в центре не только внимания, но и происходивших событий. Ничто в жизни друзей не могло случаться без ее ведома, участия, одобрения или порицания. По меткому замечанию Марселя Пруста, Мизия объединяла друзей, не знающих прежде друг друга, чтобы иметь возможность поссорить их потом.

Особенно Мисе удавались трагедии и скандалы! О! В этом «пожирательница гениев» преуспела особенно. Любая неприятность раздувалась Мисей до уровня страшной трагедии, после чего она становилась утешительницей на долгое время. Быть утешительницей — Мисино призвание. Но если вы думаете, что она и впрямь заботилась об обиженных и пострадавших, то ошибаетесь. Лучше всего Мизию характеризуют слова Шанель. Коко говорила, что, если вы страдаете, Мися всегда придет вам на помощь и сделает все, чтобы вы... страдали как можно дольше!

Коко страдать не желала даже в угоду подруге. Но была Сертам благодарна, потому что познакомилась со столькими уникальными людьми!

Она познакомилась с Бакстом, декорации которого еще в «Шехерезаде» привели Коко в полный восторг. Лев Самойлович все порывался написать ее портрет. Шанель смеялась над «старым попугаем», хотя старым в 1920 году Бакст вовсе не был, ему шел всего пятьдесят пятый год (притом что самой Коко было тридцать семь).

Своим в компании Шанель стал Пабло Пикассо. Дягилев поставил балет-концерт «Фламенко», который танцевали испанские танцовщики. Оформлял спектакль Пикассо, в это время он по-свойски жил на квартире Шанель на рю Фобур-Сент-Оноре. Квартира была огромной (на вилле «Бель Респиро» пребывали Стравинские, к тому же каждый день ездить в Гарш и обратно большая потеря времени, и Коко с размахом сняла квартиру). Одна из комнат предназначалась специально для «долгих» гостей. Этим гостеприимством в разное время пользовались Пикассо, Жан Кокто, Серж Лифарь и другие.

В эту же квартиру Пикассо, не стесняясь, частенько приводил всю шумную компанию танцовщиков. Там же Коко устраивала приемы после каждой премьеры дягилевского балета. Серж Лифарь вспоминал, что денег на танцовщиков и балерин Шанель не жалела.

Пикассо Шанель побаивалась, в нем был какой-то магнетизм, что-то подавляющее ее собственную волю. Коко говорила, что чувствовала себя перед Пабло словно кролик перед удавом, но от дружбы с ним и поддержки, пока художник в ней нуждался, не отказывалась. Эта дружба приводила в бешенство Мисю, та считала себя вправе вмешиваться, чтобы «магнетизм Пикассо не поглотил Коко». Шанель и через много лет злилась: «Защищать меня надо было от Мисиной любви. Она траву выжигает».

Дягилевская труппа всегда знала, что может найти приют и помощь у этой странной парижской портнихи. И не только труппа.

Шанель начала широко использовать в отделке своих моделей вышивку в русском стиле. В результате было открыто специальное ателье вышивки, руководила которым великая княгиня Мария Павловна-младшая, сестра великого князя Дмитрия Павловича. Работали в ателье русские аристократки, оставшиеся в Париже без средств к существованию. У них были замечательные руки и прекрасный вкус, введенная Шанель в моду русская вышивка позволила многим встать на ноги. Русские красавицы стали манекенщицами, если их фигура устраивала Мадемуазель, или продавщицами, поскольку обладали особым шармом и приветливостью. Секретарем Шанель стал бывший губернатор Крыма князь Кутузов, ее помощницами — две дочери князя, их семья тоже расположилась на вилле «Бель Респиро», которая превратилась в настоящую русскую колонию.

Великая княгиня Мария Павловна-младшая действительно если не бедствовала, то жила вместе со своим вторым мужем Сергеем Путятиным весьма скромно. Проживали последние с трудом вывезенные залитыми в парафин в бутылке из-под чернил семейные драгоценности. Муж работал в банке мелким клерком, пыталась подрабатывать шитьем и сама княгиня.

Однажды она оказалась свидетельницей разговора

Шанель с поставщицей вышивок. Коко отказывалась брать работы за сумасшедшую цену, убеждая мастерицу, что в таком случае изделия станут столь дорогими, что их не будут покупать. Понимая, что Шанель сама вышивать не будет, мастерица стояла на своем. А ведь готовилась новая коллекция, в которой, по задумке Коко, вышивки должно быть немало.

И тут Мария Павловна рискнула:

— Если я вышью дешевле, вы отдадите заказ мне?

Великая княгиня прекрасно вышивала вручную, но для десятков моделей требовалась машинная вышивка, которой она не владела вовсе.

— Я научусь.

Что заставило Шанель согласиться на предложение совершенной неумехи в машинной вышивке великой княгини, неизвестно, но уже через пару дней Мария Павловна разыскала небольшую фабрику по производству вышивальных машин, купила такую себе и на этом основании ходила на курсы вышивки бесплатно. Француженки не слишком жаловали иностранку, частенько подстраивая ей всякие пакости. Все, как и сейчас: «Понаехали тут...» Княгиня порадовалась, что не сказала, кто она такая в действительности, просто представилась русской.

Великая княгиня, двоюродная сестра последнего российского императора, бывшая супруга наследника шведского престола, в рабочем халатике, кашляя от едкого запаха, орудовала здоровенным утюгом, чтобы удалить обильно пропитанную вонючим средством ткань-подложку для вышивки. Но научилась!

Она наняла на работу еще трех русских девушек, которых обучила уже сама, выполнила все заказы Шанель и после оглушительного успеха значительно расширила производство. Кстати, ее муж первые, с таким трудом заработанные женой крупные деньги умудрился вложить без ее ведома в совершенно безнадежное дело — и прогорел. Еще раз вложил теперь уже полученное от продажи последних семейных ценностей — роскошных изумрудов — и снова оказался обманут.

Княгиня все начала сначала. Ее бизнес-наставницей стала Коко, уже «схватившая» основы маркетинга. Так родилась фирма «Китмир», прославившаяся вышивками не только в Париже. Ее работы завоевали медаль на Всемирной выставке декоративного искусства в Париже в 1925 году. Забавно, что диплом был выписан на имя «господина Китмира». Устроители не подозревали, что это понравившееся Марии Павловне имя собаки из персидской сказки.

Коко учила и учила свою русскую подругу. Он заставила Марию Павловну сменить имидж, прислала к ней свою массажистку, помогла обновить гардероб, пользоваться косметикой... Однажды столь же решительно, как недавно себе, попросту отхватила Марии ножницами ее роскошные волосы:

—Прощайтесь со старой жизнью окончательно!

Для великой княгини, привыкшей к длинным волосам, ухаживать за которыми было трудно, а под платком работницы прическа и вовсе приходила в плачевный вид за пару часов, это действительно был серьезный поступок. Но новая подруга стояла на своем:

— Мари, вид беженки давно уже не вызывает сочувствия, напротив, отпугнет клиенток. Вы должны иметь процветающий вид, подтверждающий успех, чтобы ни у кого не возникло мысли, что за ваши изделия можно заплатить мало.

Чем не бизнес-курс? У Коко явно стоило поучиться даже многим современным дамам.

Конечно, сама Шанель тоже немало заработала, заодно помогая другим. Далеко не все русские бедствовали или искали работу в Париже, было немало и тех, кто успел до революции перевести огромные средства в иностранные банки и теперь жил в достатке. Такие дамы быстро стали клиентками ателье на рю Камбон, русская речь там звучала все чаще не только на рабочих местах, но и в примерочных, и в салоне.

А отношения Коко с Марией Павловной в конце концов испортились именно на деловой почве. Великая княгиня все расширяла и расширяла производство, набирая новых вышивальщиц. Стремление похвальное, однако для этого требовалось и увеличение заказов. Но Шанель не могла выпускать изделия только с вышивкой, великой княгине пришлось брать заказы у других кутюрье, прежде всего у конкурентов Мадемуазель.

Могло ли это понравиться Шанель? Конечно, нет.

Она потребовала, чтобы Мария Павловна прекратила сотрудничество с конкурентами. Великая княгиня пойти на это не могла, слишком много она вложила в дело. Но не могла продолжать сотрудничать с ней и Шанель, проще отказаться от вышивок, которые вот-вот выйдут из моды. Мир бизнеса жесток. Шанель постаралась в своих новых моделях акцентировать внимание на другом, ей не до успехов великой княгини. Дружба разладилась...

Но произошло это нескоро, сначала было несколько лет весьма успешного сотрудничества, которое помогло великой княгине Марии Павловне основательно встать на ноги.

С русскими у Шанель даже случились два романа — один с Игорем Стравинским, второй с великим князем Дмитрием Павловичем, братом Марии. Второй состоялся безусловно, примерно год Шанель жила с великим князем, всюду разъезжая вместе с ним (наверное, на ее средства). А вот был ли первый?..

РОМАН С ИГОРЕМ СТРАВИНСКИМ — БЫЛО ИЛИ НЕ БЫЛО?

Любовь за содержание или содержание за любовь

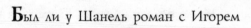

Был ли у Шанель роман с Игорем Стравинским?

О, да! — ответят одни. Ведь даже фильм такой есть, в котором Коко настоящая стервочка, Стравинский влюбленный идиот, готовый ползать у ее ног, весьма, кстати, симпатичный, в отличие от настоящего, а его жена Екатерина сущая амеба, обреченно наблюдающая за изменой мужа.

Ну уж нет! — возразят другие. Отбивать Стравинского у умирающей жены и четверых детей... это слишком!

Кто прав? Попробуем понять.

И верно, ради чего предоставлять свою виллу «Бель Респиро» в распоряжение семьи Стравинских и практически содержать их целых два года, а потом еще много лет помогать деньгами, если с супругой не дружила, детьми не интересовалась? Только роман, не иначе. Но...

Чтобы понять, было — не было, нужно попытаться сравнить этих двоих. Конечно, в сказках бывает всякое, но жизнь тем и отличается от сказки, что хоть и интереснее, но суровее.

Композитор Игорь Федорович Стравинский и его двоюродная сестра Екатерина Гавриловна Носенко обвенчались в 1906 году, это был брак по любви горячей и взаимной, причем с первого взгляда. Несмотря на очень слабое здоровье жены (Екатерина Гавриловна много лет страдала чахоткой), у них родились четверо детей — Федор, Людмила, Святослав и Милена.

Из-за болезни легких Екатерина не могла переносить сырые петербургские зимы, и с осени до весны семья уезжала в Швейцарию, в Кларан. В 1914 году Стравинские были вынуждены провести в Швейцарии и лето тоже, а вернуться не смогли, разразилась Первая мировая война, следом революция. В результате они потеряли все свое имущество в России и все русские деньги. Это не просто существенная, а катастрофическая потеря, потому что кормить нужно большую семью — кроме жены и четверых детей в Швейцарии собрались сестра Екатерины со своей семьей и мать самого Игоря, которую тот очень не любил.

Сам он поссорился с Дягилевым, потому что импресарио не платил за исполнение произведений Стравинского. Это стало возможным, когда советское правительство отказалось подписывать международные законы об авторском праве, нарождающейся новой России было пока не до них. В результате все опубликованные в России произведения, включая его знаменитую «Жар-птицу», оказалось возможно исполнять где угодно, ничего не платя автору. Вечно безденежный Дягилев этим немедленно воспользовался. Стравинский вынужден был сделать новые редакции произведений и обеспечить их авторским правом, но все равно потерял за это время очень много денег.

Когда отношения с Дягилевым были восстановлены и семья Стравинских перебралась в Париж, оказалось, что жить им практически не на что.

Вот тогда на помощь и пришла Шанель. Она пригласила Стравинских на свою виллу «Бель Респиро» в Гарше, где сама, имея хорошую квартиру и множество дел в Париже, появлялась далеко не каждый день. Два года семья жила на вилле на всем готовом, а самому композитору при этом выделялись деньги на организацию концертов.

В 1920 году Шанель исполнилось тридцать семь лет. Все, знавшие ее в тот период, вспоминали, что это была настоящая красавица, элегантная, умеющая подчеркнуть свою необычную внешность. Ее бизнес шел вполне успешно, Париж принял модный диктат Коко Шанель, правда, «Шанель № 5» еще не существовало, но вслед за королевой моды дамы постриглись, признали черный цвет самым элегантным, открыли икры ног и сделали еще многое.

А вот в личной жизни у Шанель был мрак. Бой Кейпел погиб, она осталась одна. Конечно, Серты, особенно Мися, не давали скучать, к тому же Коко окунулась в богемную жизнь и познакомилась с замечательным Сергеем Дягилевым и его труппой, став для «Русского балета» тайным спонсором, но от одиночества это не спасало. Шанель не из тех женщин, кто может годами спокойно жить без мужчины, она не одиночка по природе, хотя очень замкнутая.

Возможно, поэтому приглашение на свою виллу Стравинских многими друзьями и знакомыми с обеих сторон было воспринято как свидетельство вспыхнувшей страсти.

Был ли влюблен Игорь Стравинский в блестящую красавицу, какой тогда являлась Шанель? Вполне возможно. Но отвечала ли взаимностью сама Коко? Что представлял Стравинский не столько как композитор (что для Шанель едва ли было определяющим, ее любовь к музыке осталась на уровне оперетты), сколько как человек и мужчина? К сожалению, гении далеко не всегда бывают приятными в повседневном общении и внешне тоже, чаще наоборот — гениальность компенсируется примечательно пакостным нравом. Яркий пример сама Шанель: она никогда не была легкой в общении, а со временем стала трудновыносимой, от Коко

68

страдали все, кто работал со знаменитой кутюрье. Страдали, но прощали за гениальность.

У Стравинского приоритеты распределялись строго, он любил прежде всего свою музыку. Во-вторых, самого себя (свое здоровье). В-третьих, деньги. В-четвертых, выпивку. Причем все это гипертрофированно. И только потом располагались все остальные: жены (Екатерина и вторая — Вера), дети, родители, любовницы... часто вперемешку, меняясь местами.

Смыслом жизни Стравинского была музыка, но не вся вообще, а только его собственная, другой, во всяком случае современной, он просто не признавал! Если человек желал с ним дружить, то был обязан превратить музыку Стравинского в смысл своей жизни, иначе из списка друзей безжалостно вычеркивался. Когда у композитора спрашивали, какое свое произведение он рекомендовал бы, Стравинский коротко отвечал:

— Все!

Едва ли Шанель была готова принести такую жертву, стань Стравинский ее возлюбленным. Екатерина принесла, для нее существовали дети и Игорь с его музыкой, даже когда супруг откровенно забывал о больной жене и четверых детях. Например, когда Игорь уезжал на гастроли с Верой, ставшей его любовницей, жене приходилось писать любовнице письма с мольбой прислать денег для содержания семьи.

Но странностей хватало и без жертв. Ни приятным собеседником, ни галантным кавалером Стравинский не был, просто потому что для него существовал прежде всего (и много раз прежде!) он сам. Остальные прилагались только в степени полезности для его музыки и его здоровья. Или не существовали вовсе, если их не интересовало ни то, ни другое.

Сам композитор не напоминал ни стройного, спортивного Боя Кейпела, ни крепкого, несмотря на тяжелую болезнь, Дягилева, ни уж конечно красавца великого князя Дмитрия Павловича. Стравинский был невысокого роста, весьма тщедушен и вечно укутан в свитера, пальто, шарфы, поскольку страшно боялся простуды. Гениальные люди далеко не всегда отличаются приятной внешностью.

Собственное здоровье занимало его чуть меньше музыки, но даже больше денег. Безобидный прыщик на носу мог сорвать все, что угодно, вплоть до важнейшей встречи. Если в компании раздавался чей-то нечаянный чих, Стравинского словно ветром сдувало, позволить себе подхватить микроб он не мог. Игорь Федорович вел подробные медицинские дневники, записывая туда все лекарства, которые регулярно принимал, все симптомы нездоровья, если таковое случалось, а оно бывало постоянно.

Даже когда первая жена и мать его четверых детей Екатерина лежала при смерти, Стравинский писал ей длиннющие письма с... жалобами на свое здоровье!

Кроме простуды Стравинский боялся громкоголосых людей, любой неловкости и беспорядка. О! Порядок должен присутствовать во всем: все добро до самой мелочи обязано быть рассортировано и разложено по раз и навсегда определенным местам, все под контролем!

Добавьте жутчайшие приступы ипохондрии, и получится совсем непривлекательный портрет.

Рассердить Стравинского ничего не стоило, достаточно не вполне внимательно отнестись к любому его слову и тем более к его замечанию по поводу музыки. Это приводило композитора просто в бешенство, когда забывались все границы приличия.

В не меньшее неистовство Стравинского приводила даже простая мысль, что он может потерять хоть малую толику своих денег! Упоминание налогов вызывало приступ ярости. Что именно — вынужденное безденежье после Первой мировой войны и революции или собственный характер — породило откровенное скупердяйство, неизвестно, но, заметив, что марка на присланном письме случайно не задета почтовым штемпелем, он эту марку отклеивал и использовал заново на своем письме. Тяжелобольная Екатерина переписывала ноты его произведений, да и сам композитор тратил на это немало времени, только чтобы не платить переписчику. Любая отправляемая телеграмма сначала долго обдумывалась, чтобы в ней не оказалось ни единого лишнего слова (за него надо платить!)...

До революции Стравинский с удовольствием занимался... ростовщичеством! Нет, не вообще, он не сидел, как Гобсек или старуха-процентщица из «Преступления и наказания», принимая в заклад ценности, композитор одалживал деньгами (под весьма высокий процент) родственников. Забавный случай: закончив с утра пораньше партитуру знаменитой «Весны Священной», Стравинский отнюдь не кинулся праздновать столь важное событие и даже не устроил себе каникулы после трудной работы, он на целый день засел писать письма родственникам с требованием оплаты процентов по займу!

Стравинский предпочитал сам исполнять свои произведения на концертах или дирижировать ими по двум причинам: во-первых, все те же деньги (исполнители и дирижеры получают куда больше автора), во-вторых, слушая свою музыку в чужом исполнении, Игорь Федорович частенько впадал просто в ярость, считая, что ее портят. По этой же причине не ходил на концерты, не рискуя услышать кроме «негодного» исполнения своей музыки еще и чужую современную. А такого он вытерпеть не мог! Для Стравинского существовал только Стравинский.

И еще один грешок, помимо страшного эгоцентризма, значился за Игорем Федоровичем — он любил алкоголь, напиваясь иногда до безобразия. Особой страстью пылал к виски. «Меня надо называть Стрависки!» Похоже так, хотя в 1920 году он, наверное, сильно не пил, а может, и пил... Во всяком случае, когда труппа Дягилева праздновала очередную премьеру, напившийся Стравинский мог запросто прыгать через обруч или кидаться подушками в артистов...

Бывали с ним и забавные случаи, например, с Пабло Пикассо. Познакомились два гения еще во время Первой мировой войны в Риме. Пикассо, который тогда увлекался кубизмом, с восторгом нарисовал в соответствующей манере нового приятеля. Вышло вполне «кубически» — линии, закорючки, кружки, завитки... Итальянские таможенники кубизмом, в отличие от Пикассо, не увлекались, а потому строго поинтересовались:

— Что это, синьор?

— Мой портрет.

Портрет был конфискован и пропал втуне, поскольку поверить, что набор линий и закорючек изображает человеческое лицо, а не план какого-то стратегического сооружения (шла война), таможенники не могли. А Стравинский не сумел доказать, что портретное сходство, согласно новым веяниям в искусстве, вовсе не обязательно.

Пару раз, напившись, они с Пикассо нарушали общественное спокойствие уже в Париже и попадали в руки полицейских. Однажды за то, что пристроились... справлять нужду прямо на угол ближайшего дома. Хорошо, что не успели отойти далеко от оперного театра: приведя туда двух нарушителей, полицейские быстро убедились, что те слишком знамениты, и ретировались.

Позже, уже в Америке, Стравинский попадал и в более некрасивые ситуации из-за выпивки. Однажды, напившись, проспал важную встречу с Марком Шагалом, который обиделся, и сотрудничество не состоялось. Но еще хуже получилось на специальном обеде, устроенном правительством США в его честь в Белом доме. На приеме присутствовал Джон Кеннеди, что, однако, не помешало Стравинскому привычно напиться, причем до такой степени, что добраться до туалета удалось только с помощью президента, после чего бесчувственного виновника торжества с позором (которого он из-за своего невменяемого состояния попросту не заметил) отправили домой.

И все равно его супруга (тогда уже Вера) вздохнула с облегчением, поскольку муж был не в состоянии затащить, как намеревался, президента в уголок и поинтересоваться, каким образом можно уклониться от уплаты налогов.

В этом весь Стравинский — гений, для которого существовал только он сам, его проблемы и его желания, невзирая на разных президентов!

Стравинский все же был и выглядел хилым занудой, день которого расписан по минутам. Например, поутру он ровно пятнадцать минут мылся, пятнадцать минут делал зарядку и пятнадцать минут брился.

Был не слишком приветлив, например, если к нему приходили без приглашения или согласования, мог открыть дверь и объявить, что его нет дома!

Конечно, гениальность многое искупает, но тогда рядом должны находиться люди, сознательно жертвующие собой. Была ли такой Коко Шанель? Не думаю... Резкости хватало и у нее, эгоцентризма тоже, самоуверенности с избытком.

Физически Шанель развита прекрасно, она любила спорт, хорошо играла в теннис, обожала псовую охоту, великолепно держалась в седле и даже десять лет спустя легко лазала по деревьям, была загорелой и стройной. Такая женщина, тем более богатая и уверенная в себе, конечно, понравилась Стравинскому. Но мог ли ее саму привлечь хилый, болезненный и думающий только о себе человек, пусть даже гениальный?

Если мог, то явно ненадолго, к самопожертвованию Шанель не способна. Во всяком случае, не настолько, чтобы отбить его у жены с четырьмя детьми и намереваться выйти замуж!

А как же слухи о замужестве, о том, что Стравинский страшно ревновал и был готов едва ли ни покончить с собой? Мне кажется, все это Мися. Помните, ее подруга обожала чужие проблемы и страдания, чувствуя себя в таком случае незаменимой, и очень старалась эти страдания продлить. Чем не развлечение — у Коко и Стравинского роман, он без памяти влюблен, готов бросить жену и детей, только если она скажет «да»!

Вообще-то если уж так припекло, то бросают и без положительного ответа. А тут какой-то расчет: вот если Коко готова выйти за него, то Игорь готов расстаться с больной Екатериной. Шанель не была готова. Расставания Стравинских не случилось.

Мися развила бурную деятельность, ее ничуть не устраивало просто дружеское отношение Шанель к Стравинскому: если тот выгуливает собак Мадемуазель, значит, это любовь! Собак Игорь Федорович и впрямь выгуливал, на вилле «Бель Респиро» у Коко жила замечательная «Большая Медведица» — Гелиос, Селена и пятеро их очаровательных щенков. Шанель никоим образом не заставляла возиться с ее собаками, для этого имелось достаточно прислуги, но Стравинским доставляло удовольствие возиться с занятными щенками. Такое обстоятельство Мисе показалось страшно подозрительным.

Плевать на то, что человек, которого она прочила в мужья подруге, откровенно некрасив — похож на насекомое или грызуна в своих круглых очках, с короткими усами и основательно поредевшими волосами на темени, что он обременен больной женой и четырьмя детьми! На «Бель Респиро» происходило нечто без ее ведома. Это было для Миси совершенно недопустимо, и она, решив, что пропустила начало романа, принялась с бешеной энергией организовывать... его продолжение. Никто не смог бы убедить Мисю, что романа нет, во всяком случае, взаимного.

Гениальный автор «Жар-птицы» и «Весны Священной» влюблен в ее подругу? Ах, какой пасса-а-аж! Требовалось немедленное выяснение отношений, разрыв с женой, развод, переживания больной Екатерины, сироток-детей, но главное — страсть между Стравинским и Шанель! В воздухе запахло большим скандалом, чужими страданиями и возможностью долго утешать всех подряд. Думается, что, случись такое, Мися временно

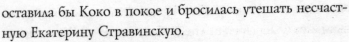

оставила бы Коко в покое и бросилась утешать несчастную Екатерину Стравинскую.

Но Коко было наплевать на утешительницу, она не желала влюбляться и тем более выходить замуж за Стравинского! В своих воспоминаниях Мизия Серт целую главу посвятила Шанель, ведь они многое пережили рука об руку, много друг о дружке знали, рассказать было о чем. Прочитав написанное, Шанель была так возмущена, что потребовала немедленно выкинуть из рукописи любое упоминание о себе! Глава о Шанель была изъята, а на остальных страницах Коко упомянута просто как «моя лучшая» или «моя близкая» подруга.

И все же изъятый текст сохранился, биографы приводят из него отрывки, например, Анри Гидель. Якобы на мягкий укор Шанель Стравинскому о том, что у него больная жена, которая будет очень тяжело узнать о его страсти, Игорь Федорович ответил, что Екатерина все знает. Мол, кому еще он мог доверить столь великую тайну?!

Если это было так, то ответ только добавляет красок в портрет абсолютного эгоиста. Он вообще не думал о чувствах своей супруги и о том, что дети не так уж малы, чтобы не замечать происходящего. И впрямь, Федору было тринадцать, Людмиле двенадцать, Святославу десять, да и младшая шестилетняя Милена много что подмечала.

Они не расстались вообще, Игорь Федорович женился второй раз после смерти Екатерины, но на ком!

Страдания по прекрасной Коко оказались не слишком долгими, уже через полгода у него новая любовница — актриса Вера де Боссе (она же Люрри, она же Шиллинг, она же Судейкина и в четвертом замужестве Стравинская). С Верой Судейкиной Стравинского познакомил Дягилев, видно, рассудив, что клин клином вышибают. Вышиб успешно, любовь к Шанель прошла, осталась только к деньгам.

Бросая смертельно больную (она, кстати, едва живая, протянула до 1939 года, успев похоронить сначала старшую дочь Людмилу, погибшую от того же туберкулеза) жену с детьми и без средств к существованию, Стравинский уезжал на гастроли с любовницей, в это время далеко не бедствуя.

А тогда Стравинскому была нужна не столько любовь Шанель, сколько ее средства. Директор концертного зала «Гаво» пригласил дать концерт, но для этого требовались финансовые гарантии, попросту некая сумма в качестве задатка, чтобы в случае непредвиденных обстоятельств зал не остался внакладе. Шанель такую сумму дала. О! Что было, когда о таком меценатстве узнала Мися! Подруга обладала редкостным даром затевать ссоры и раздувать любую мелочь до размеров вселенского скандала, муха по ее желанию превращалась не просто в слоника, а во взрослого мамонта-гиганта! Мися заламывала руки, сокрушаясь над погубленной честью Стравинского. Как же, взять у Шанель деньги... это прямой путь либо к гибели, либо... к женитьбе! Гибели не хотелось, оставалось жениться. Жена и дети? Так даже драматичней!

Мися раздувала и раздувала скандал, своим вмешательством, намеками и советами убеждая Стравинского, что тот влюблен без памяти, а Шанель просто ломается. Когда Игорь Федорович, уехав на гастроли в Испанию вместе с «Русским балетом», пригласил с собой в Барселону и Коко, та сначала необдуманно согласилась. Потом, видно, осознала, какой скандал последует за этой поездкой (Мися своего не упустит), и отказалась, отправившись на новой машине в Монте-Карло с великим князем Дмитрием Павловичем.

Вообще-то она хотела заехать в Испанию и послушать Стравинского в Барселоне, но только после Монте-Карло. Мися опередила ее. Подруга отправила Стравинскому безобразную телеграмму:

«Коко — попросту мидинетка, которая предпочитает артистам великих князей».

Реакция Стравинского вполне предсказуема:

— Я убью их обоих!

Во гневе гений бывал страшен, потому Дягилев срочно телеграфировал Шанель:

«Не приезжайте, он вас убьет!»

Нечего сказать, мексиканские страсти.

Шанель поняла, чьих это рук дело, и теперь уже она закатила подруженьке настоящий скандал. Мися категорически отрицала свою причастность, но Коко ей совершенно не верила. Тем более Серт скромно молчал, не заступаясь за супругу... Подруги надолго рассорились.

Шанель не подчинилась желаниям Мизии, и началась настоящая партизанская война. Мися разнесла по всему Парижу, что Коко уехала с великим князем, словно какая-то швея. Коко огрызалась:

— Терпеть не могу, когда меня берут за шиворот, точно котенка.

Вытащенный из депрессии «котенок» показал зубки и коготки, причем весьма острые, во всяком случае, Мися уяснила, что если желает вообще иметь дело с Шанель, уже ставшей достаточно самостоятельной, то должна понять, что ее брать за шиворот не следует. Вообще-то ссора с Мисей даже облегчила Шанель жизнь хотя бы на несколько месяцев.

А что же Стравинские? Они продолжали жить на вилле «Бель Респиро». Шанель не просто содержала семью у себя, но и после того тринадцать лет выплачивала им ежемесячный пенсион. Может быть, Екатерина не один раз пожалела, что Шанель не стала второй женой ее Игоря, по крайней мере, жить было бы на что.

Забавно, что Стравинский так привык к денежному содержанию со стороны Шанель, что считал ее помощь почти обязанностью и даже писал сердитые письма Мисе, если Коко задерживала очередную выплату: «...Вы знаете, Шанель не перевела нам ничего с 1-го числа, и нам буквально не на что жить в этом месяце. Прошу Вас, будьте так добры напомнить ей о нас...» Это в феврале 1933 года. Интересно, почему Шанель должна была переводить Стравинским на жизнь, притом что он уже опомнился после революции и вполне успешно концертировал, не говоря уже о композиторской деятельности? Но это их дело...

На те два года, что Стравинские жили в «Бель Респиро», вилла превратилась в настоящий «Русский дом». Сами Стравинские любили гостей, кроме того, Шанель часто приглашала Дягилева с его артистами, в «Бель Респиро» то и дело жил кто-то из русских, помимо Стравинских. Может, еще и для того, чтобы не позволить Мисе организовывать новые скандалы и интриги? Шанель даже наняла русскую кухарку и прислугу, говорящую по-русски.

ПОДАРОК ОТ УБИЙЦЫ РАСПУТИНА

Кто действительно придумал «Шанель № 5»

Мизия Серт в очередной раз в бешенстве: Коко собралась замуж, а ей ни слова?! И за кого?! Конечно, Шанель прекрасно зарабатывает сама, но брать очередного содержанта? Да еще бросить ради него Стравинского! Конечно, Мися понимала, что преувеличила, замуж Коко не собиралась, она всего лишь завела нового любовника — великого князя Дмитрия Павловича Романова.

Мися клокотала и шипела, сама себе не сознаваясь, что главной причиной возмущения был отказ Коко во всем советоваться с ней. Если бы Шанель по-дружески спросила, стоит ли брать в любовники великого князя Дмитрия, Мися ответила бы: «Стоит». Дмитрий красив, строен, неглуп, он прекрасный танцор, хорошо воспитан... Словом, такой мужчина может стать украшением рядом с любой женщиной. При одном условии: если у той есть деньги.

Великий князь Дмитрий Павлович был... беден! Двоюродный брат последнего русского императора, и вдруг беден...

Деньги у Шанель имелись, она могла позволить себе содержать красивого князя, на восемь лет ее моложе. Коко и сама выглядела не старше Дмитрия, но для Миси суть не в том. При чем здесь красота, стройность или умение танцевать?! Шанель не посоветовалась! К тому же познакомили Коко с князем другие. Это было недопустимым отступлением от установленных Мисей правил, полька считала Шанель своей собственностью, как и остальных друзей, а потому — только себя вправе выбирать ей любовников. Не хочешь Стравинского — не надо, можно и великого князя Дмитрия, но только посоветуйся же!

С Дмитрием Павловичем Шанель действительно познакомили в Биаррице ее бывшие подруги еще по Руайо. Биографы несколько не сходятся в том, где именно встретила Коко актрис Габриэль Дорзиа или Марту Давелли, в театре или в ресторане. Думается, все равно, главное — она встретила Дмитрия.

Стройный зеленоглазый красавец покорил ее с первого взгляда. Покорил вовсе не как Бой Кейпел, там была любовь, а к Дмитрию скорее интерес как к мужчине. Романовы отличались красотой все, мужчины были рослыми и длинноногими, имели замечательный цвет лица и синие либо зеленые глаза. Добавьте к этому блестящие манеры аристократов, чувство собственного достоинства людей королевской крови, и получите очаровательный портрет мужчины, не влюбиться в которого невозможно.

Неотразимо хорош был Николай II, но самым красивым в этой семье считался младший дядя императора отец Дмитрия Павел Александрович, тот самый, что став вдовцом, женился морганатическим браком вопреки воле императора и оказался надолго отлучен от России. Говорили, что сын удался в него — столь же красив и любвеобилен.

Коко Шанель стала не первой его французской любовницей, но, пожалуй, самой заметной. Они пробыли вместе больше года, практически не разлучаясь, а потом расстались, оставшись в дружеских отношениях. Их «дружба» началась, когда Шанель надоела возня Миси по поводу Стравинского, и Коко пригласила Дмитрия с собой в Монте-Карло:

— Я только что купила новый «Роллс», давайте испытаем его, отправившись в Монте-Карло?

Князь честно признался, что сидит на мели.

— Это неважно, за бензин заплатит механик, отель можно выбрать не самый дорогой, а с остальным разберемся.

Великий князь согласился, в конце концов это его сестра работала, а он и муж Марии Павловны Сергей предпочитали развлекаться. Тогда Мария Павловна еще не сотрудничала с Шанель, они просто проживали последние деньги, вырученные за вывезенные из России тайком бриллианты. Искать себе какую-либо работу красавцу-князю не приходило в голову. Да и что он умел, кроме войны и способности блистать в свете?

Откуда вообще в Париже появился великий князь Дмитрий Павлович, один из ближайших наследников российского престола, и почему он был беден?

6 сентября 1891 года в подмосковном имении великого князя Сергея Александровича Ильинском был переполох, суетились доктора, повитухи, хозяева имения и слуги. Но все их старания не могли помочь невестке хозяина, жене его брата Павла Александровича Александре Георгиевне, которая, будучи на большом сроке беременности, гостила в имении и неожиданно тяжело заболела. Так тяжело, что уже шестой день находилась без сознания. Так без сознания и родила крошечного сына, крайне слабого и болезненного. Никто не ожидал, что такая кроха выживет, а потому о малыше... даже забыли, положив сверток с новорожденным на стул и снова занявшись матерью.

Сын выжил, а вот мать через два дня умерла.

Крещенный Дмитрием, малыш попал в руки опекунов — бездетных дяди и тети, Сергея Александровича и Елизаветы Федоровны (сестры последней императрицы России). Именно их забота и сохранила жизнь ребенку, малыша ежедневно купали в... свежем теплом бульоне. Через несколько месяцев, когда кроху привезли в Петербург, за его жизнь можно было не беспокоиться.

Император России Николай II, приходившийся новорожденному двоюродным братом, взялся опекать малыша. Но он же сделал кузена полным сиротой в 11 лет. Дело в том, что отец Дмитрия Павел Александрович влюбился и женился морганатическим браком вопреки воле императора на госпоже Пистолькорс. Этому предшествовало несколько скандалов, потому что у Ольги Валериановны была не слишком хорошая репутация женщины, у которой побывала половина Петербурга. Такую можно иметь в любовницах (что и делало большинство Романовых, включая самого императора), но никак не в женах. Великие князья не женятся на шлюхах!

Император вполне понимал мужской интерес дяди к «маме Леле», как называли между собой посетители будуара не вполне строгую Ольгу Валериановну, он даже мог простить рождение Ольгой детей, но позволить ей открыто щеголять на балах в фамильных драгоценностях великой княгини Марии Александровны — матери Павла Александровича... это уж слишком! Императрица категорически отказалась принимать эту даму при дворе! Император, помня веселые вечера с шампанским рекой у «мамы Лели», с ней согласился.

Великий князь Павел Александрович дал императору честное слово, что «эта мадам» останется всего лишь любовницей и будет вести себя потише. Но слово тут же нарушил. Для начала помог своей возлюбленной развестись. Пистолькорс возражать не стал. Но это не умилостивило императорскую чету. Что замужней, что разведенной Ольга Валериановна при дворе принята не была, а великому князю было откровенно сказано, что в случае нарушения данного обещания он будет наказан.

И снова великий князь не внял увещеваниям царственного племянника. Уехав в Италию, Павел и Ольга обвенчались. Последовало обещанное наказание: Павел Александрович был лишен всех чинов и должностей, а въезд в Россию ему категорически запрещен! Дети отданы на попечение в семью Сергея Александровича и Елизаветы Федоровны.

Марии Павловне в то время было тринадцать, Дмитрию — одиннадцать. За год до этого, добиваясь развода своей любовницы, Павел Александрович открыто перевез ее в свой дворец, после чего дети предпочли из дворца переехать в Москву к Елизавете Федоровне, потому что ни дома, ни вообще в жизни отца им места не было, его заняла «мама Леля» со своими детьми, которых было уже трое. Конечно, это слишком обидно — когда отец открыто предпочитает тебе детей от даже еще не мачехи, а просто любовницы. Мария и Дмитрий зря ожидали и писем от отца. Ольга Валериановна очень постаралась, чтобы любовник забыл не только правила приличия, но прежде всего собственных детей. Сын и дочь при живом отце стали сиротами.

Это ощущение сиротства наверняка роднило Коко с Дмитрием, она ведь тоже была сиротой при живом отце, променявшем своих детей на объятия шлюхи.

А что же мадам Ольга Валериановна?

Женив-таки на себе великого князя Павла Александровича, она явно рассчитывала на скорое возвращение в Россию. Однако император был точно кремень, он позволил Павлу Александровичу приехать в Петербург на похороны убитого террористами великого князя Сергея Александровича, но не более. Ни о каком возвращении его новой супруги речи не шло. Павел Александрович требовал для своей мадам титула великой княгини, что позволило бы ей участвовать в царских выходах на правах члена царской семьи.

«Мама Леля», о вольном поведении которой в Петербурге могли рассказать слишком многие, — среди семьи Романовых в Зимнем дворце?! Да она превратит в бордель и весь двор! Ни за что! Отмыться от слишком вольного поведения в молодости Ольге Валериановне так и не удалось, ведь заработать репутацию общедоступной кокотки легко, а заставить всех забыть ее трудно. К тому же Петербург (искренне или нет) жалел старших детей князя Павла Александровича, ставших сиротами по ее вине.

Ольга Валериановна была замечательной женщиной и всячески достойна уважения, между ней и Павлом Александровичем действительно была настоящая любовь, но уж очень неприглядными способами пользовалась дама для проникновения в придворные круги. Думается, веди она себя тихо сначала в Петербурге, а потом и в Италии, императорская чета примирилась бы с

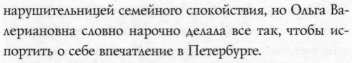

нарушительницей семейного спокойствия, но Ольга Валериановна словно нарочно делала все так, чтобы испортить о себе впечатление в Петербурге.

Кто, вы думаете, помог этой чете снова попасть на прием во дворец? Григорий Распутин. Менее грязного способа у «мамы Лели» снова не нашлось...

В 1914 году им позволили вернуться в Россию и обосноваться в Царском Селе, но ко двору по-прежнему не допускали, императрица была категорически против появления рядом с собой дамы с такими «заслугами».

Ольга Валериановна искала и нашла способ повлиять на Александру Федоровну. Ее сестра Любовь Валериановна была близка к кругу Григория Распутина и в 1916 году сумела устроить Ольге встречу со Старцем. Рандеву состоялось в спальне Старца (где же еще принимать «маму Лелю», репутация которой всем известна?), сама Ольга Валериановна писала, что Старец ничего не добился, кроме 200 рублей, взятых в долг. Попробуем ей поверить, это ее дело.

Поскольку Григорий имел неограниченное влияние на императрицу, через несколько месяцев (силен Старец!) Ольга Валериановна получила титул княгини Палей и была принята при дворе. Императрица по-прежнему считала ее гадкой интриганкой, одурачившей даже Старца.

Долго упиваться победой не пришлось, грянула революция, непонятно на что рассчитывавшая (видно, на свою непотопляемость и умение договориться с любым) Ольга Валериановна из Петербурга не уехала.

Судьба все расставила по своим печальным местам. Великий князь Павел Александрович был арестован, их сын Владимир тоже, дворец конфискован, только дочерей Ольге Валериановне удалось отправить в Финляндию. Свои, вернее фамильные, драгоценности она загодя отправила в Австро-Венгрию, но из-за событий там они бесследно исчезли. Великий князь был расстрелян, Владимир Павлович погиб в шахте Алапаевска вместе с другими Романовыми, к которым его мать так старалась сына причислить. Если бы не это старание, может, и обошлось бы? Жили бы себе в Италии безо всяких Распутиных, Петропавловских казематов и шахт Алапаевска...

Сама Ольга Палей, «мама Леля», сбежала в Финляндию, перенесла рак желудка, но сумела выжить, объявившись в Париже в том же 1920 году. Конечно, сначала ни Дмитрий, ни его сестра Мария слышать о «маме Леле» не могли, считая ее виновницей своего сиротства и многих бед. Но прошло время, Мария простила женщину, забравшую у них отца, смирился и Дмитрий. Возможно, они поняли, что отец был счастлив с этой женщиной.

Но невольное сиротство сломало характеры обоим, особенно это проявилось у Марии. Не испытывая в собственном детстве родительской любви (мачеха не сделала ни малейшей попытки наладить контакт с детьми), Мария и сама была практически кукушкой. Первого сына Леннарда при разводе с мужем (наследником шведского престола) оставила отцу и свекру, не вспоминая о мальчике, и была немало удивлена, когда его привезли через восемь лет посмотреть на мать. Позже, став уже совсем взрослым, Леннард, кстати, женившийся по любви, а не по расчету и отказавшийся ради этого от престола, встречался с матерью часто, перед смертью Мария Павловна даже жила у шведской невестки.

Второго сына, только что рожденного от Сергея Путятина, за которого она вышла замуж перед самой революцией, Мария Павловна и вовсе оставила со стариками Путятиными в революционном Петербурге, предоставив им как угодно выбираться с внуком-младенцем из охваченной Гражданской войной России. Путятины справились, они сумели вывезти малыша в Румынию, где обретались его мама и папа, но Мария, едва успев поцеловать сына и удивиться, что тот жив и даже здоров, умчалась в Париж на встречу с братом Дмитрием. И снова оставила малыша на свекровь и свекра. Годовалый ребенок умер от какой-то инфекции. Маму это взволновало не сильно, она уже занималась своим обустройством в Париже.

Как же удалось спастись самим великим князьям Марии и Дмитрию Павловичам, ведь Дмитрия даже считали наследником престола после цесаревича Алексея?

Мария вышла замуж за шведского крон-принца Вильгельма и уехала, а Дмитрий, к двадцати годам ставший настоящим красавцем — высоким, стройным зеленоглазым шатеном, — служил в лейб-гвардии конном полку, страстно увлекался гонками на автомобилях и мотоциклах, превращая в груду покореженного металла один за другим, участвовал, правда, не слишком удачно, в Олимпийских играх, а с началом Первой мировой войны отправился на фронт.

Его судьба миловала, хотя воевал весьма приметно, за два месяца успел получить орден Святого Георгия 4-й степени. Потом появилось негласное распоряжение — держать молодых Романовых подальше от передовой, и Дмитрия отозвали в ставку Главкома. Когда Николай II решил принять командование Русской армией на себя, Дмитрий Павлович не побоялся изложить императору свои соображения по этому поводу, считая, что тот совершит непоправимую ошибку. Император поблагодарил, совет не принял, ошибку совершил.

Возможно, это толкнуло Дмитрия в стан великокняжеской оппозиции императору. Но еще больше он ненавидел Григория Распутина. Причин несколько.

Прежде всего, конечно, старшая дочь императорской четы Ольга. Она была страстно влюблена в красавца-кузена, и молодые люди были даже помолвлены. Тут вмешались и династические интересы, ведь в случае смерти цесаревича, страдавшего гемофилией, именно Ольге и Дмитрию предстояло стать наследниками престола. Красивая пара, взаимная любовь... Что же помешало браку?

Григорий Распутин. Неизвестно, кому именно помогал Старец в тот раз, возможно, как писал Валентин Пикуль, великим князьям Владимировичам, рвавшимся к престолу, но Старец, имевший колоссальное влияние на всю императорскую семью, сначала помог Дмитрию поучаствовать в нескольких грязных кутежах с известной куртизанкой Петербурга, а потом заявил Ольге, что «Митька болен такой скверной, что и руки подать страшно!». Это была откровенная ложь, но великий князь оправдываться не счел нужным, а Ольга и не собиралась выслушивать его оправдания. Помолвка была расторгнута.

Второй причиной ненависти к Старцу со стороны Дмитрия, конечно, было возвращение Ольги Валериановны, о чем уже рассказывалось.

Расстроить его собственную свадьбу, обвинив в распутстве, и одновременно привести ко двору ту, что лишила его отца, — разве не причина для ненависти? Но судьба словно вела Дмитрия, спасая ему жизнь.

17 декабря 1916 года Петербург был не на шутку встревожен. Тревога исходила из дворца и была совсем разной, в Зимнем императрица Александра Федоровна не находила себе места от волнения, а остальной Петербург почти радостно потирал руки. Пропал Старец — Григорий Распутин! Святой черт, как его называли священники, ненавистный большинству, грубый, заросший неопрятными волосами мужик, давным-давно правивший страной вместо императора. Императорская семья слушала разглагольствования Друга, раскрыв рты, все рекомендации Друга выполнялись неукоснительно, независимо, был ли это совет, что съесть на завтрак или

кого назначить министром, с Другом советовались по любому поводу...

Конечно, нашлось немало тех, кто заискивал перед Старцем и даже посещал его спальню, как Ольга Палей, но подавляющее большинство ненавидело безграмотного грязного развратника, диктовавшего волю огромной стране, только потому что он умел облегчать страдания больного наследника, за что царица обожала Старца, а царь обожал царицу и выполнял любую ее прихоть.

Поэтому, когда Старец пропал, мало кто пожалел об этом, скорее, обрадовались.

Его труп обнаружили через три дня всплывшим под одним из мостов на Малой Невке. Официально считается, что фаворит императорской семьи Григорий Распутин был убит группой заговорщиков: князем Феликсом Юсуповым-младшим (женатым на сестре императора Ирине), великим князем Дмитрием Павловичем и депутатом Государственной думы Владимиром Пуришкевичем. Четвертым называли английского посланника сэра Сэмюэля Хора (запомните его, он еще пригодится). Во дворце Юсупова Старца сначала накормили отравленными птифурами и напоили отравленной мадерой, однако яд его не взял, Распутин сумел выбраться из подвала, где его оставили лежать, и попытался сбежать. Во дворе Старца догнали пули заговорщиков. Труп был брошен в прорубь.

Официально было объявлено, что Григорий Распутин брошен в воду еще живым, хотя при вскрытии воды ни в легких, ни в бронхах не обнаружено, то есть «живой» Распутин почему-то не дышал. Зачем придумывать? Чтобы лишний раз подчеркнуть необычные способности Старца, мол, его ни яд, ни пули не взяли...

Но для нас не это важно, как умер, так умер.

Императора в Петербурге не было, императрица распоряжалась сама, она приказала арестовать всех, кто был вместе с Распутиным в предыдущий вечер, резонно полагая, что это их рук дело. Вообще-то Александра Федоровна не имела права отдавать приказ об аресте боевого офицера, каким являлся великий князь Дмитрий, но когда это императрица обращала внимание на такие мелочи, она вполне чувствовала себя хозяйкой, вернее, барынькой в своем владении, называемом Россией. Хозяйкой она не была, потому что хозяева хоть как-то заботятся о своих подопечных.

Ни Юсупов, ни Дмитрий Павлович, ни Пуришкевич не скрывались, напротив, они чувствовали себя героями. Зачем они это сделали? Не только ради устранения самодура, но чтобы посредством удаления со сцены Старца отодвинуть наконец немку-императрицу, вмешательство которой в дела перешло все мыслимые границы. Надеялись, что истеричная Александра Федоровна хотя бы на время отойдет от дел и на императора можно будет влиять в пользу России, а не настроения императрицы.

Не получилось, истерики истериками, а власть Александра Федоровна выпускать не собиралась, она готова лично казнить убийц ее обожаемого Друга. Однако общественное мнение было настолько на стороне убийц, что сделать это оказалось невозможно. Император принял разумное решение (одно из очень немногих таковых): Феликс Юсупов посажен в имении под домашний арест, великий князь Дмитрий Павлович, как действующий офицер, отправлен на Персидский фронт. На большее Николай II просто не рискнул, потому что Дмитрию Павловичу даже устроили овацию в театре, как человеку, свершившему то, о чем Россия давно мечтала. Не слишком красиво, но Петербург почти праздновал убийство Распутина! И на фронт Дмитрия провожали как национального героя.

Сам он чувствовал себя, видимо, отвратительно, потому что результат достигнут не был, мечтали устранить от дел хотя бы на время императрицу и повлиять на императора, но Александра Федоровна оказалась живучей, а царь рассердился и беседовать не желал вообще.

Но ссылкой на фронт Николай II, желая наказать двоюродного брата, невольно спас ему жизнь: не окажись тот за границей, едва ли спасся бы. После Февральской революции 1917 года Временное правительство приглашало великого князя Дмитрия Павловича вернуться, поскольку в России его помнили как боевого офицера, не прятавшегося за спины солдат, но главное — как убийцу ненавистного Распутина! Но Дмитрий предпочел перебраться в Тегеран, свой дворец у Аничкова моста продать, а деньги перевести за границу.

Через два года он был уже в Лондоне. Стать лидером Дмитрию Павловичу предлагала и эмигрантская среда, но великий князь поспешил порвать с политикой окончательно. О своем участии в убийстве Григория Распутина предпочитал не вспоминать никогда и нигде, а его сообщники старательно убеждали всех, что великий князь был всего лишь свидетелем, зрителем.

К моменту знакомства с Шанель великий князь основательно поиздержался и теперь проживал остатки семейных драгоценностей. Его знаменитый слуга Петр — огромный двухметровый детина, обожавший своего «мальчика», который давно не был мальчиком, устал замазывать воском потрескавшуюся обувь своего хозяина и подкладывать внутрь газеты, чтобы не были заметны дыры. Но лоска Дмитрий все равно не потерял.

Шанель баловала своего Дмитрия, покупая ему самые дорогие наряды, обувь, но только не машины, которые он, как она уже знала, слишком быстро превращал в груду металла. Хватит одного Боя, погибшего из-за быстрой езды. И уж конечно Коко не собиралась за Дмитрия замуж, Мися переживала зря. Просто красивый, элегантный мужчина рядом — это приятно. Надоест — расстанутся, а пока почему бы не побыть вместе?

Неизвестно, как представлял себе будущее сам князь Дмитрий, ожидал ли он, что Шанель выйдет за него замуж, или вообще не думал об этом? Через несколько месяцев после расставания с Коко он женился на богатой американке, уехал за океан и прожил, пусть недолгую, но вполне счастливую жизнь. Князь умер в 1942 году от туберкулеза.

О любовной связи с великим князем Дмитрием Павловичем можно бы и не упоминать (мало их было, ведь Шанель свободная женщина), если бы ни два поистине судьбоносных знакомства, состоявшихся с помощью Дмитрия. Первое — с парфюмером Эрнестом Бо, второе — с Самуэлем Голдвином, одним из основателей киноиндустрии Голливуда. Если первое принесло ей в результате всемирную славу, то второе вывело за океан.

Возможно, было и третье — с Сэмюэлем Хором, английским шпионом, участвовавшим в убийстве Распутина. Мы не знаем, где именно и когда Шанель познакомилась с сэром Сэмюэлем, а ведь это знакомство могло сыграть большую роль в ее жизни. К Сэмюэлю Хору мы вернемся еще раз... лет через двадцать...

К 1920 году Шанель уже если не царила в моде Парижа, то была близка к этому. Можно говорить, что она просто оказалась ко времени. Как прежде создавалась мода? Кутюрье, имевшие каждый свой «набор» светских дам-модниц, создавали наряды именно для них, с учетом пристрастий, а чаще капризов VIP-заказчиц. Дама демонстрировала шедевр, все ахали и пытались скопировать. Пока доходило до среднего класса, фасон менялся порой до неузнаваемости, потому что более дешевые ткани, отделка, другая фигура и манера носить искажали первоначальную задумку.

Ни о какой «моде для всех» речи идти не могло. Разве можно было подумать, что баронесса Ротшильд наденет то же, что и супруга мелкого чиновника? То есть, конечно, никто не мог запретить мадам-чиновнице вырядиться так же, но, чтобы этого не произошло, наряд баронессы должен быть максимально дорогим и сложным. Если менять наряды почаще, то никакие чиновницы не угонятся. Всяк сверчок знай свой шесток. Диктовать моду могли только аристократки, хотя казалось, что диктуют кутюрье.

Бывало, конечно, когда подражали актрисам или дамам полусвета, но ясно же, на чьи деньги создавались их наряды — это снова были большие деньги.

И вдруг появилась Шанель, сама вышедшая непонятно откуда и моду вводившая такую же — для всех! Поль Пуаре мог сколько угодно высмеивать «убожество роскоши» своей соперницы, Эльза Скьяпарелли сколько угодно придумывать карманы-ящики, шляпки в форме туфли или расшивать спины платьев осьминогами, облапившими... то, что пониже спины. Это были одноразовые наряды (ну сколько можно ходить с осьминогом на пятой точке?), а возмутительница модного спокойствия предлагала модели, которые могли носить все! Представляете, какой шок — платье можно надеть без помощи горничной и сшить его тоже достаточно легко, не требовались десятки метров кружев или пара загробленных китов для корсета.

А прически? На коротких волосах категорически не держались огромные сооружения с выставкой чучел пернатых или парой десятков пыльных бантов. Но простую шляпку можно было так же просто скопировать!

Это что же получалось, мода переставала быть уделом избранных и стала всеобщей?! Но она была удобной, и довольно скоро дамы предпочли удобные шляпки тюрбанам в стиле Шехерезады, не говоря уже о сооружениях размером с половину футбольного поля.

Шанель не творила для кого-то лично, даже создавая наряды для VIP-заказчиц, она все равно делала их по собственному вкусу. В Довиле или Биаррице можно было заказать платья не хуже, чем в Париже, наличие денег определяло только качество ткани и качество кроя, сам фасон оставался неизменным, где бы его ни шили, а стиль тем более. Шанель создавала новую женщину (под себя, потому что ее модели не подчеркивали у заказчиц того, чего не было у самой Коко — грудь, бедра, затянутую корсетом талию).

Но этой новой женщине требовался и новый запах. Шанель была не первой из кутюрье, кто дополнял свои модели своими же ароматами. Поль Пуаре, Эльза Скьяпарелли, Ланвен, Лавин, Леннон... многие создавали свои линии духов. Конечно, создавали не сами, но это делалось под их эгидой.

И здесь помогло одно знакомство, которое состоялось при посредничестве великого князя Дмитрия.

В 1843 году в Москве открылась первая парфюмерная фабрика Альфонса Ралле, через четырнадцать лет это был уже «Торговый дом А. Ралле и К». В 1896 году он перерос в «Товарищество высшей парфюмерии Ралле А. и К». Высшей, потому что специализировался на изысканной косметике и парфюмерии и был поставщиком Императорского Дома, что в России значило очень много.

Вот туда через два года и поступил на работу лаборантом семнадцатилетний Эрнест Бо. В этом товариществе его старший брат служил администратором. Сначала его отправили во Францию изучать производство мыла, потом, уловив явный талант парфюмера, стали учить составлению новых ароматов.

Есть люди с абсолютным музыкальным слухом, есть с чувством цвета и пропорций, есть гениальные поэты, математики от Бога... Эрнест Бо был парфюмером от Бога. Его «чувство запаха» уникально, мы должны быть благодарны Эрнесту Бо за многие великолепные ароматы.

Но Бо был не только парфюмером, прежде всего он был патриотом, причем французским, а потому успешно воевал во время Первой мировой за Францию, даже получил награды — орден Почетного легиона и крест «За боевые заслуги». Французское правительство, как видим, высоко оценило боевой дух парфюмера.

Технический директор Лемерсье уловил его задатки и стал готовить себе смену в лице талантливого юноши. После отхода Лемерсье от дел Эрнест Бо стал первым парфюмером у Ралле, создав целый ряд духов на основе экстракта «Царский Вереск». Второй любовью после парфюмерии у Бо был император Наполеон. К столетию Бородинской битвы он выпустил новый аромат «Букет Наполеона». Вообще-то странное намерение — выпускать в России духи в честь императора, воевавшего с Россией, но русский менталитет таков, что император популярен и у нас тоже. Россияне всегда жалели и любили тех, кого сначала били. Но духи стали популярны не из-за поражения и бегства Наполеона из России, а из-за своего запаха.

После революции Эрнест Бо сначала служил английским властям и в качестве офицера контрразведки служил в Архангельске в частях Белой армии, а потом в 1919 году перебрался во Францию и снова стал работать в фирме Ралле, открывшей свое производство в Ля-Бокка, неподалеку от Канн.

Работал Эрнест Бо истово, он сотни раз повторял и повторял пробы, даже если те изначально были удачными. Все пробы делались с использованием ста кубических миллилитров чистого спирта, это позволяло легко рассчитать, сколько компонентов нужно брать для изготовления смеси на основе литра и сколько это будет стоить. Когда смесь была изготовлена и растворена в спирте, Бо нюхал ее, подробно записывал все появившиеся ощущения и замечания и отставлял на сутки. Через сутки снова нюхал и снова записывал. Потом смесь выстаивалась — неделю, месяц, а то и больше, если позволяло время, и делалось окончательное заключение.

Ароматы создаются трудно, гораздо труднее, чем

может показаться неподготовленному человеку, много раз заранее продуманная и тщательно рассчитанная смесь после растворения и выдержки вела себя совсем не так, как ожидалось. Эрнест Бо работал с очень дорогими натуральными эссенциями, смешивая их с синтетическими ароматизаторами. Для него парфюмеры Грасса, в частности Эжен Шарабо, создали *super absolues décolorées* (обесцвеченные концентрированные абсолютные масла). Леон Живодан работал для Бо над синтетическими душистостями.

Сам Бо говорил, что парфюмер должен идеально знать сырье, которое служит для изготовления ароматов, как музыкант знает ноты и сольфеджио, а художник рисунок и краски. Он должен уметь раскладывать запах на составные части, анализировать и запоминать их. Потом по памяти восстанавливать эти составные и собирать из них новый аромат. У каждого художника есть своя цветовая гамма, даже меняя манеру письма, он интуитивно остается этой гамме верен. Так и парфюмер создает себе несколько образцовых аккордов, на которые потом будет опираться в работе.

Эрнест Бо утверждал, что во время Первой мировой войны, находясь в Норвегии, он запомнил запах северного мха, который очень помог в создании новых ароматов. Вообще, Бо работал с концентрированными, иногда весьма неприятными запахами, создавая из них то, что потом прославило имя Эрнеста Бо во всем мире и на долгие годы. Его самые известные запахи — «Gardénia»,

«Bois des Iles», «Cuir de Russie», «Soir de Paris» и «Kobako».

Ну и конечно «Шанель № 5» и «Шанель № 22». Даже если бы за всю жизнь Бо создал только эти два аромата, его имя осталось в анналах парфюмерии.

Итак, Эрнест Бо был парфюмером Императорского Дома России, а после революции и Первой мировой войны оказался во Франции на фирме Ралле в Ля-Бокка.

Считается, что Шанель с ним познакомил великий князь Дмитрий Павлович. Вполне вероятно, потому что в России духами активно пользовались не только женщины, но и мужчины, князь Дмитрий наверняка знал главного парфюмера. Это знакомство привело к созданию нового аромата, названного «Шанель № 5».

Великий князь Дмитрий Павлович представил Мадемуазель парфюмера-новатора Эрнеста Бо, тот создал для Шанель новый аромат. Кажется, все просто и понятно, в чем загадка?

Это вам кажется, что просто, а вокруг столь обычного для парфюмеров дела, как создание новых духов (ради чего еще они трудятся?), развернулись целые детективные страсти.

Сначала то, что понятней и особых расследований не требует. Версия Эрнеста Бо звучала так: во время службы за Полярным кругом он был поражен необычайной свежестью, исходившей от летней природы, запахом озер, рек, мха... Бо запомнил этот аромат и страстно возжелал его воссоздать в духах. Перебравшись во Францию, он постарался в фирме Ралле повторить запах северного мха. Это удалось не сразу, потому что первые использованные альдегиды оказались нестойкими. Почему после знакомства с Шанель они вдруг обрели устойчивость, парфюмер не уточнил. Мадемуазель желала получить аромат, основанный на запахе чистоты, для этого идеально подходили именно озера, реки и северный мох Заполярья... Парфюмер выяснил, что альдегиды значительно усиливают и упрочивают ароматы.

Версия названия у Бо выглядит вполне приземленно: он предложил Мадемуазель несколько ароматов в пронумерованных флаконах, она выбрала пятый и двадцать второй номера, а потом сказала, что ее новая коллекция будет представлена пятого мая, потому и духи будут называться «Шанель № 5».

Наверняка и сама Коко думала над созданием аромата, но толком объяснить, чего же хочет, не могла никому. Это должен быть «запах женщины», причем элегантной женщины, а не цветочной клумбы. Но одно дело желать, и другое — сделать. Пока рядом с Шанель не оказался Эрнест Бо с его альдегидными идеями, ничего с места не сдвинулось. Коко желала иметь не одну цветочную ноту в запахе, букет абстрактных цветов, который должен, очень медленно выдыхаясь, при этом меняться. Для начала XX века сложная задача, тогда духи действительно пахли одним цветком, а если бывали смеси, то это были просто смеси.

К тому же ей был нужен аромат, который не выветривался бы через полчаса, вызывая необходимость либо выливать на себя по половине флакона каждый вечер, либо душиться то и дело. Шанель требовала «шлейф», что тоже было совершенно непривычно для 20-х годов. Но Бо справился, альдегиды усилили и укрепили запах жасмина — основы «Шанель № 5», помогли ему не быть слишком резким, но держаться долго. Коко была в восторге, духи явно удались. Но...

Шанель несколько усложнила рассказ.

Видимо, обиженная на Эрнеста Бо, который позже создавал ароматы для ее партнеров Вертхаймеров в их фирме «Буржуа», она в тридцатых годах, рассказывая новую версию создания духов редактору журнала «Вог» Беттине Баллард, объявила себя автором аромата, напрочь «забыв» о Бо. По ее словам, жаждущие помочь красавице выйти из состояния депрессии после гибели Боя Кейпела французские парфюмеры в Грассе допустили в святая святых своего производства дилетантку и позволили вволю смешивать ингредиенты, создавая собственный аромат.

Шанель поиграла и доигралась до создания новых духов. Вот так! У гениев гениально все, другие годами трудятся, а тут пришла, увидела, создала, да еще и такой шедевр, что почти сто лет из моды не выходит. Шанель то ли не знала, что любая смесь должна выстояться и быть тысячу раз проверенной, то ли не желала об этом задумываться. И неважно, что для повторения аромата нужны точнейшие измерения объемов ингредиентов, чуть больше того или другого, тем более при больших концентрациях, и запах получится совсем иной.

Что это, Мисин дурной пример или обида на Бо, который стал работать у Вертхаймеров? Или вообще желание самоутвердиться во всем? В середине тридцатых годов ей было тяжело, со всех сторон наседали конкуренты, хотелось произвести впечатление...

Мизия утверждала, что именно она посоветовала, почти навязала Шанель мысль о необходимости создания своих духов. Внушила, что у кутюрье должна быть и своя парфюмерная продукция! Естественно, при этом Мися не желала замечать, что мысль не нова и другие успешно трудятся на поприще облагораживания запахов. Если эта мысль пришла в голову Мисе, то все, что существовало ранее, не считается.

Теперь вариант Мизии Серт, он сохранился в черновых записях той самой неопубликованной главы о Шанель. Мися сочла, что просто описать старания Эрнеста Бо слишком примитивно, мол, работал химик-парфюмер, пусть гениальный, но один из многих, нюхал, смешивал, снова нюхал... Создал нечто, что понравилось ее подруге, и все?! А где романтика? Где загадка? Но главное — где Мисино участие?!

Это вам все равно, Мисина ли заслуга в создании аромата «Шанель № 5», а ей нет. Так родилась совершенно бредовая история, пересказанная в книге Жюстин Пикарди. Попробую пересказать в свою очередь.

В центре всей Мисиной истории, как вы полагаете, кто? Ни за что не догадаетесь — Мися! Потрясены? А вы как думали, куда ж без нее? Со слов Миси все выглядело куда таинственней всяких там химических опытов занудного Эрнеста Бо.

11 июля 1920 года в Мадриде в весьма преклонном возрасте умерла Евгения Эжени Мария Игнасия Августина Палафокс де Гусман Портокарреро и Киркпатрик де Платанаса де Монтихо де Теба — проще Эжени, последняя императрица Франции, вдова Наполеона III. Разбирая после ее смерти бумаги, секретарь красавицы Эжени (а она действительно отличалась редкой красотой до самой смерти в 94 года) Люсьен Доде обнаружил таинственный листок с рецептом снадобья, помогавшего императрице оставаться прекрасной. Самое загадочное, что рецепт прежде принадлежал... Екатерине Медичи! Якобы при археологических раскопках в одном из королевских замков на берегу Луары обнаружили рукописи Рене Флорентийского, парфюмера Екатерины Медичи.

Среди бумаг оказался и «Секрет Медичи» — туалетной воды, которая помогала сначала Екатерине Медичи, потом Диане де Пуатье, а потом и Марии Медичи до самой старости сохранить девический цвет лица и восхитительную кожу.

К кому Люсьен Доде мог обратиться с таким рецептом? Только к Мисе! Он просил за полуистлевший листок шесть тысяч франков, предлагая продать рецепт парфюмерной фирме, правда, без упоминания его сиятельной владелицы. Мися сначала рассмеялась, но потом вспомнила о Шанель и согласилась.

Если верить Мизии Серт, то Шанель послушала подругу, и сначала была создана туалетная вода «L'Eau Chanel», причем, рассказывая о подборе флакона, Мися уверенно твердит «мы». Успех превзошел все ожидания (ждать, сохранится ли кожа покупательниц свежей до старости, не стали, поверили первым неделям). Мися посоветовала подруге брать быка за рога:

— Почему бы тебе не переключиться на духи? По-моему, после такой удачи с туалетной водой парфюмера Рене Флорентийского можно назвать гусем, несущим золотые яйца.

Конечно, легкомысленная Шанель не сразу осознала всю гениальность задумки подруги, и только когда туалетная вода возымела спрос, покаялась и приняла совет Миси.

Вот так Мися, можно сказать, стояла у руля создания самых знаменитых духов современности. Только Коко почему-то, прочитав этот бред, потребовала вообще выбросить главу о ней из книги воспоминаний подруги!

А зря, оставь она эту выдумку, успех у духов был бы еще больший. Шутка ли сказать, произведены по рецепту парфюмера самой Екатерины Медичи, Мадам Змеи, знаменитой отравительницы! И помогали сохранять прекрасный цвет лица Диане де Пуатье и самой Екатерине до старости. Очередь в бутик за флаконом духов средневековой рецептуры наверняка превзошла бы очередь в Лувр.

Неважно, что парфюмер Екатерины Рене был миланцем, а не флорентийцем (что в те времена считалось существенным). Неважно, что Екатерина Медичи ни за что не поделилась бы секретом с многолетней соперницей Дианой де Пуатье — любовницей своего обожаемого мужа короля Генриха II, которую ненавидела всей душой. Неважно, что ни Мария Медичи, ни тем более Екатерина не имели прекрасного цвета лица ни в старости, ни даже в молодости. Екатерина Медичи вообще славилась землистым, серо-зеленым оттенком, который не удавалось убрать ничем! Если этот рецепт обещал такой цвет, то чур меня! И кожа у королевы была отвратительной всегда. Возможно, это следствие постоянно принимаемых противоядий, ведь Екатерине пришлось несладко с самого рождения. Но нам от того не легче.

Мися об этом не знала или не желала знать, а потому упоминала знакомые имена королей, ничтоже сумняшеся. Какие мелочи, главное, звучит!

Ну и о туалетной воде, которая в действительности была выпущена гораздо позже духов, тоже сообщила ради красного словца. Кто будет проверять-то?

Разве могла Мизия Серт допустить, чтобы стало известно о ее непричастности к появлению «Шанель № 5»? Ей и в голову не приходило, что это вообще мало кого интересует, а ведь именно так и было. В это время Шанель, разозлившись на вмешательство Миси в ее личную жизнь (помните «сватовство» Стравинского и гадкую телеграмму в Барселону?), поссорилась с Мисей и на несколько месяцев отлучила подругу от себя. А потому ни участвовать в создании новых духов, ни выбирать для них флакон, ни вообще влиять на Шанель в тот год Мися не могла. Она даже не была среди подруг, кому Коко подарила духи первыми. Шанель позволила себе маленькую месть навязчивой Мисе.

Смешно? Наверное. Остается только вспомнить секретный рецепт Рене пусть уж будет Флорентийского. Если он (рецепт, а не парфюмер) и существовал, то сомневаюсь, что был бы применим в 20-х годах прошлого века. Чтобы понять, что это так, прочтите парочку наставлений, они взяты из книги «Закуска для короля, румяна для королевы», где приведены на основании текстов древних манускриптов.

«Способ чернения волос: «Воронье яйцо окрашивает волосы следующим образом: выливают яйцо в медный сосуд и взбалтывают до тех пор, пока оно не меняет цвет, затем бреют голову и намазывают сверху до тех пор, пока яйцо не впитается. Во время этой процедуры надо набрать в рот масла и держать до тех пор, пока голова не высохнет, а иначе зубы почернеют. После этого на голову надевают повязку, которую снимают по прошествии четырех дней; в результате седина больше не появляется».

А как сами волосы, с ними-то что? А то ведь лучшее средство от перхоти, как известно, гильотина... И у лысых проблем с сединой тоже никаких...

А вот как еще можно стать черноволосой:

«Если женщина хочет, чтобы у нее были длинные черные волосы, пусть возьмет зеленую ящерицу, отделит хвост и голову и сварит ее в обыкновенном масле. Этим маслом мажут голову, что делает волосы длинными и черными».

«Красоту лицу можно придать, регулярно намазывая его бычьим навозом, размоченным в уксусе и растертым».

Что они имели в виду, как выглядела этакая «красота» после бычьего навоза?

Рецепты выбрала самые простенькие, в книге большинство на полторы страницы и с такими ингредиентами, которые нам совершенно недоступны или неприемлемы. Кстати, навоз дикой козы упоминается часто, видно, был популярным косметическим средством. Интересно, чем он отличается от навоза козы домашней, никто не знает?

Как вы полагаете, повторил бы Эрнест Бо столь «простенький» рецептик, вернее, стал бы это делать? Но во времена Екатерины Медичи состав не документировали химическими формулами, норовили все больше описательно, примерно этак: возьмите горсть молотых зубов дракона, выбитых непременно в безлунную ночь с четверга на пятницу, добавьте прошлогодний плевок летучей мыши, у которой одно крыло больше другого ровно на полпальца годовалого ребенка, измельчите туда же несколько маковых зернышек, собранных левой рукой на восходе солнца, и смешайте с конским навозом, вываренным в ослином молоке... Принимать трижды в день по полстакана вместо еды. Если выживете, красота обеспечена.

Понятно, что в «дневниках» Рене Флорентийского едва ли встречается зеленая ящерица, маринованная в козьем или ослином навозе, но состав рецептов тоже немыслимый и ныне практически неповторимый. Думаю, Эрнест Бо обошелся без растворения костей половозрелой каракатицы в уксусе, ему хватило разработок парфюмеров Грасса.

Конечно, Мися тут вообще ни при чем, как и записи Рене Флорентийского, если они и нашлись. Аромат создал мастер своего дела Эрнест Бо, и не случайно, а целенаправленно, просто в тот счастливый миг его устремления совпали с желаниями Коко Шанель. Мадемуазель заказала, Бо сделал, и духи «Шанель № 5» предстали пред миром.

В отношении названия Шанель тоже немало намудрила (Мися, конечно, приписала себе совет дать им имя Шанель, забыв, что присутствовать при этом не могла). Коко то пыталась внушить, что назвала в честь показа новой коллекции пятого дня пятого месяца (хотя показ давно прошел, а потому будущим быть не мог), то вдруг говорила, что пробирка с духами, которые она сама смешала, была под номером пять, то приписывала все магической силе пятерки... Но однажды просто проговорилась, и, пожалуй, это самый честный, без всяких выдумок вариант: просто Бо представил ей несколько флаконов с разработками под номерами 1—5 и 20—24, ей понравились два — № 5 и № 22, которые и были выбраны. Лидером стал № 5.

И форму пробки для флакона они с Дмитрием не копировали с формы Вандомской площади, просто такую пробку держать в руках удобней.

Но это все не мешало духам стать популярными, им ни к чему разные истории от Шанель или Миси, достаточно гения Эрнеста Бо, поддержанного гением Коко Шанель.

Что касается формы флакона, то здесь тоже гадать не стоит, явно сказалось стремление Шанель к упрощению, и она выбрала самую простую форму, в которой прекрасно видно содержание. Именно этим флакон резко контрастировал с остальной продукцией французской парфюмерной промышленности (и не только французской) начала XX века.

Как выглядели и назывались духи того времени (о запахе сейчас вспоминать не будем)? Фирма «Лалик», изготавливавшая флаконы для самых разных нужд, старалась на славу, и сами емкости, и пробки к ним были настоящими произведениями искусства. Эльза Скьяпарелли, например, выпускала свои духи во флаконе формы манекена — обнаженного дамского бюста. Изгибы женского тела должны были привлечь покупателей (вообще-то надо бы покупательниц, духи-то дамские).

Пробки делались в виде самых разных фигур, тут

были и балерины, исполняющие фуэте, и лебеди с грациозными шеями, и дамские шляпки (конечно, не шанелевские!), и птички... Все это роскошество сохранялось хозяйками и после использования содержимого, уж больно хороши флаконы.

И вдруг простой параллелепипед и не менее простое название, да еще и с номером!

Как назывались духи до Шанель? «Сады Семирамиды», «Мечта Клеопатры», «Сердце Жаннетты», «Улыбка апреля», «Букет Наполеона», «Минарет», «Китайская ночь», «Аладдин», «Вечернее опьянение»... Никто из кутюрье, даже бывший на вершине своего могущества Поль Пуаре, не решился дать духам свое имя, назвав духи в честь любимой дочери — «Роза Розины». Не решились и проиграли, а Шанель выиграла. В этом тоже гениальность, она была гениальным не только кутюрье, но и коммерсантом.

Вокруг «Шанель № 5» был еще один небольшой скандал, только добавивший им популярности. Ходили слухи, что фирму Коти покинул некий химик, тайно унесший многолетние разработки духов, которые Коти из-за их дороговизны выпустить не рисковали. Немедленно было решено, что этот химик и есть Эрнест Бо (хотя сам он всегда твердил, что верой и правдой работал на Ралле до самого перехода в фирму Шанель). Ах, какой пассаж!.. Химик-перебежчик, тайна формулы, Шанель, соблазнившая парфюмера... Разве можно не купить такие духи, ведь они должны стоить того, чтобы заварилась такая каша!

Что может быть лучшей рекламой, чем хороший скандал? Эти «гнусные» подозрения только добавили в копилку популярности «Шанель № 5».

В пользу возможности такой версии говорит выпуск через несколько лет фирмой Коти духов-близнецов «Шанель № 5», хотя им это уже не могло помешать. «Aimant» не смогли составить конкуренцию ни «Шанель № 5», ни «Шанель № 22» еще и потому, что духи Коко были освящены ее именем.

КТО ХОЗЯИН «ШАНЕЛЬ»

Пособие по ведению войны с партнерами

Однако духи мало придумать, их даже мало изготовить, требуется еще и продать.

И тут Шанель снова показала свою коммерческую хватку. Во-первых, все создавалось в полнейшей тайне, никто не должен знать, что за работу проводит Бо (боялись промышленного шпионажа?). До конца своих дней Шанель хранила формулу духов под десятью замками в сейфе и подозревала всех вокруг в желании похитить секрет!

Вообще-то раньше Эрнест Бо предлагал их формулу знаменитому парфюмеру Коти, но тот отказался:

— Слишком дорого.

Шанель сделала ставку на дороговизну. Кто же из женщин не отдаст последнее, чтобы пахнуть «не хуже других»? Коти мужчина, что с него взять...

Но вот первый вариант готов, духи перестали быть пробником. Получив первый флакон, она не стала рекламировать его, а взяла с собой в модный ресторан Канн.

Бо с изумлением наблюдал, как Мадемуазель осторожно прыскает духами на платья проходящих мимо женщин. Немного погодя им уже оборачивались вслед, потому что шлейф действительно удался и окружающие поводили носами, пытаясь уловить необычный запах.

Так же Коко поступила в своих бутиках, распыляя духи в салонах и слегка отдушивая готовые заказы.

— Где вы выставите их в продажу, в «Галери Лафайет»?

— Пока нигде. Я их подарю.

Это тоже было странно, но Шанель знала, что делает, она продемонстрировала блестящие способности в рекламе. Этой женщине уже тогда можно было доверить проводить бизнес-класс и тренинги по продажам. Сотню первых флаконов Шанель подарила. Сначала духи вручались великосветским подругам почти по секрету:

— Это для тебя и только для тебя. Пока духов в продаже нет.

После такого секрета разве можно не воспользоваться духами, тем более со столь необычным запахом и полученными в подарок? Великосветский Париж пах «Шанель № 5», дамы уже не представляли иного запаха. На вопрос, когда и где будут продаваться духи, следовал ответ:

— Только в моем бутике. Скоро.

Множество флаконов отправлено, как драгоценный груз, в подарок супругам владельцев самых крупных магазинов, торгующих в том числе парфюмерией.

К тому моменту, когда была готова промышленная

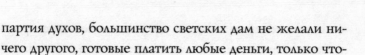

партия духов, большинство светских дам не желали ничего другого, готовые платить любые деньги, только чтобы пахнуть не хуже остальных.

Но тут Шанель подстерегали новые трудности. Оказалось, что, придумав и даже разрекламировав духи, их бывает сложно произвести в нужном количестве с достаточным качеством. Производство Ралле было и без «Шанель № 5» по горло завалено работой, делать столь драгоценные духи в небольшой лаборатории Эрнеста Бо вообще смерти подобно. Требовалось новое производство.

Эрнест Бо создал аромат, Шанель его оценила и продвинула, фирма Ралле занялась выпуском. Но как бы ни старались парфюмеры Ралле, у них просто не хватало мощностей для производства достаточного количества флаконов пользующихся огромным спросом духов. Требовалась помощь кого-то более мощного. К тому же у Ралле и без Шанель забот хватало, ее продукция тоннами расходилась во все стороны.

Вмешался, как всегда, случай. Вы обращали внимание, что тем, кто чего-то добился, случаи прямо-таки сами под ноги лезли? Вот неудачников они обходят стороной, а на «стоящих» просто набрасываются.

Шанель стоила, ее счастливые случаи стороной не обходили. Для хранения изготовленных флаконов в бутике места, конечно, не хватало, и она попросила в аренду складские помещения торгового центра «Галери Лафайет», в котором когда-то покупала соломенные заготовки для будущих шляп. Владелец универмага Теофиль Баде тоже обладал везучестью и коммерческим нюхом, он быстро уловил потенциал духов «Шанель № 5» и предложил Коко расширить производство.

Понятно, что сделать это на фабрике Ралле не представлялось возможным, требовалось отдельное предприятие. Теофиль Баде посоветовал обратиться к Вертхаймерам. Братьев Вертхаймеров — Поля и Пьера — Шанель помнила еще по Довилю, потому что они были заядлыми «лошадниками» и имели одну из лучших конюшен. Именно на скачках в Довиле Теофиль Баде познакомил Шанель с Вертхаймерами.

Семейство Вертхаймеров происходило из Германии, но давным-давно жило во Франции, имело в Довиле конюшни с прекрасными лошадьми (им принадлежал знаменитый Эпинар), занималось коллекционированием предметов искусства и владело парфюмерной фабрикой «Божур», выпускавшей еще в XIX веке театральный грим. Продукцией этой фабрики пользовалась сама Сара Бернар. Представительства фирмы имелись в Нью-Йорке, Лондоне, Барселоне, Сиднее, Вене, Буэнос-Айресе... Казалось, им подвластен весь мир.

У Вертхаймеров были производственные мощности, коммерческий и деловой нюх и возможности для значительного расширения производства. Теофиль Баде об этом знал, потому и привлек именно эту семью к выпуску духов нарушительницы парфюмерного спокойствия. Знакомство состоялось, деловое сотрудничество тоже. Была создана новая фирма «Духи Шанель», в которую Шанель входила со своей формулой духов, освященной именем, Теофиль Баде с возможностями хранения и торговли в «Галери Лафайет», а Вертхаймеры с производственными мощностями. Братья брали на себя все от закупки ингредиентов и производства самих духов до изготовления флаконов.

Соответственно распределились и акции нового общества — Шанель получила всего 10 процентов, Теофиль Баде 20 процентов, а львиную долю Вертхаймеры — 70 процентов.

Почему Шанель устроило столь неравное распределение акций и на что она могла рассчитывать вообще? Устроило потому, что производство было сразу увеличено в разы, продажа пошла бойко, и Коко, ничего больше не вкладывая, получила кратный прирост доходов. И вот тут сказалась ее коммерческая неопытность. Можно быть хваткой в рекламе и даже во вложении денег, но, прежде чем подписывать столь глобальное соглашение с Вертхаймерами, стоило посоветоваться с серьезным адвокатом, а лучше не одним.

Едва ли будь жив Кейпел, он одобрил заключение такого договора. Почему? Шанель владела десятью процентами акций предприятия, Теофиль Баде вскоре продал свои двадцать процентов тем же Вертхаймерам, и в их руках оказались уже девяносто процентов. Это означало, что фирма «Духи Шанель» практически полностью принадлежала им. Коко не имела права выпускать парфюмерную продукцию помимо этой фирмы, давать свое имя еще каким-то духам, туалетной воде, мылу, любым средствам без согласия на то Вертхаймеров.

Справедливо? А почему нет, ведь братья взяли на себя все производство, Шанель оставалось только подсчитывать доходы, которые выросли в разы. Она с радостью отдала фирме и формулу «Шанель № 22» тоже. Через два года в компанию перешел работать и сам Эрнест Бо, продолжив создание новых духов, но больше для «Буржуа» Вертхаймеров, чем для «Духов Шанель».

Сама Шанель рассказывала Марселю Эдриху, что это Вертхаймеры в 1924 году пришли к ней на рю Камбон со множеством комплиментов ее духам:

— Мадемуазель, они лучшие в мире!

Кто бы сомневался! Лично Коко ни в малейшей степени.

Братья сделали заманчивое предложение:

— Дорогая Коко, вы будете президентом нового общества по производству парфюмерной продукции!

Разве можно отказаться, если тебе преподносят должность президента на блюдечке с золотой каемочкой, да еще и уговаривают принять? Коко согласилась, не заметив, что за улыбками Вертхаймеров скрываются волчьи оскалы! Вот так «коварные братья» сумели обмануть бедную гениальную доверчивую овечку Шанель... Вытрите слезы жалости и читайте дальше.

Шанель не пришлось даже тратиться на президентское кресло, все сделали «обманщики». Кресло было мягким и удобным, но со временем Коко сообразила, что могла бы иметь куда больше, духи-то, в конце концов, ее и без нее нескоро увидели бы свет, а уж о популярности и говорить не стоило.

Так что же могло не устроить Шанель позже, ведь немного погодя она начала настоящую войну со своими партнерами. Пьер Вертхаймер даже оказался вынужден нанять отдельного адвоката для переговоров с неугомонной Мадемуазель, не будучи сам в состоянии о чем-то с ней договариваться.

Что же заставило Мадемуазель вдруг осознать, что ее «обманули»? Идея, что ее попросту надули, воспользовавшись коммерческой и деловой неопытностью, стала у Шанель просто навязчивой. Сколько бы ни пытались самые опытные адвокаты Вертхаймеров убеждать Мадемуазель, что все в порядке, Коко не верила. Очень много лет они общались словно супруги во время тяжелейшего бракоразводного процесса, до битья посуды о голову соперника, конечно, не доходило, и в сторону друг друга прилюдно не плевали, но нервов попорчено изрядно. Временами доходило до ситуации, так знакомой супругам-врагам: пусть мне будет хуже, но чтоб и ему тоже! Как в анекдоте: назло теще выколю себе глаз, пусть у нее зять кривой будет!

Вообще-то понять Шанель можно: без ее гениального чутья, без ее имени никаких «Шанель № 5» не было бы, и делить просто оказалось нечего. С другой стороны, можно понять Вертхаймеров, без их участия производство так и оставалось бы на уровне сотни флаконов полукустарной выделки. Нет, Ралле прекрасная фирма и изготовляла парфюмерию высшего качества, но она занималась вовсе не только и не столько произведением Эрнеста Бо с названием, прославляющим Шанель. У владельцев фирмы не хватило той самой коммерческой жилки, подсказавшей Вертхаймерам открыть отдельное производство для «Шанель № 5», они не рискнули сделать ставку на необычные духи необычной дамы. А Вертхаймеры рискнули и выиграли.

И все же в интуитивном ощущении обмана, терзавшем Шанель, было свое рациональное зерно. Она не знала и не понимала, в чем именно обман, но нутром чувствовала, что он есть. И много лет боролась за свое.

Добилась? Да, в 1947 году между Вертхаймерами и Шанель был заключен новый договор, мгновенно сделавший Шанель богатой, даже очень богатой женщиной. К слову сказать, после ее смерти дивидендов для наследников оказалось целых 15 000 000 долларов (в переводе на нынешние цифры это примерно 300 000 000 долларов). Что случилось, Вертхаймеры отдали Шанель свои 90 процентов, забрав ее 10 процентов? Ничуть, перераспределения активов фирмы не произошло, все осталось, как прежде, Мадемуазель просто вытребовала себе всего лишь 2 процента от роялти (отпускной цены) духов по всему миру. Всего... и такие деньги. Представляете, какие доходы были при этом у самих Вертхаймеров!

Но до этого были еще долгие годы тихой и явной войны, желчных перепалок и даже подпольных действий.

Шло время, партнеры спорили, ссорились, но дело не бросали, напротив, оно развивалось. Отделения фирмы, вернее новые ма-ахонькие фирмочки росли за границей, как опята на пне. Шанель бы радоваться, а она злилась. Почему, сама себе завидовала? Нет, Коко, кажется, сообразила, какую допустила ошибку при подписании договора. Просто, обладая 10 процентами уставного капитала фирмы, она и доход получала с этих процентов. Фишка в том, что чем больше фирмочек с ничтожным капиталом организовывалось за границей, тем меньше получала его основательница.

Например, братья Вертхаймеры, обладавшие абсолютным большинством голосов в акционерном обществе «Духи Шанель», могли себе позволить продать дело за сущие гроши — 2500 долларов — вновь образованному в Нью-Йорке «Шанель Инк Нью-Йорк». Естественно, от его доходов Шанель не имела уже ничего, а от продажи чуть побольше — целых 250 долларов!

Вертхаймеры принялись «пристегивать» к «Шанель № 5» свои духи «Буржуа» по какому-то соглашению, о котором президента общества даже не уведомили. Теперь, чтобы получить знаменитые «Шанель № 5», нужно было купить и «Буржуа». Реклама обоих духов осуществлялась на одних и тех же щитах, плакатах, страницах журналов... создавая впечатление, что это почти одно и то же. Как могла Шанель доказать, что «Буржуа» не ее духи? Никак, имя Шанель работало на продукцию ее партнеров, от которой она не получала вообще ничего.

Кроме того, Вертхаймеры, пользуясь услугами опытных юристов, сумели открыть производство духов на маленьком заводике в США, качество продукции которого оставляло желать лучшего. Собственные духи продолжали изготавливать во Франции.

Фирмы множились, доходы если не падали, то уж точно не росли. В военные годы Шанель, как владелица патента на «Шанель № 5», получала... 5000 долларов в год! Простая продажа ее духов в бутике на рю Камбон (причем значительно ограниченная немцами — всего 20 флаконов в день) давала доход куда больший.

Шанель начала войну. В 1934 году чаша терпения Мадемуазель переполнилась, и она подала на Общество в суд! Шанель не желала, чтобы ею пользовались как дойной коровой. Но у Вертхаймеров были слишком опытные адвокаты, чтобы с ними мог справиться Поль Ириб, которому Коко поручила вести дела в фирме. Ириб был хорошим художником и декоратором, но никудышным дельцом.

Видимо, осознав это, Шанель в 1935 году наняла профессионального адвоката Рене де Шамбрена, предпочтя именно его, потому что Шамбрен прошел практику в США, а значит, достаточно напорист и ловок. Начались настоящие военные действия. Рене де Шамбрен вынужден был объяснить Мадемуазель, что согласно заключенному контракту, имея 90 процентов акций фирмы, Вертхаймеры имели право делать все то, что делали. Выход оставался один: контракт разорвать! Лучше начать все заново, чем терпеть то, что происходит!

Шамбрен начал процедуру расторжения контракта между мадемуазель Шанель и ее партнерами Полем и Пьером Вертхаймерами. Неизвестно, что было бы, произойди это, но вмешалась война, Мадемуазель стало не до боев с партнерами.

Сами Вертхаймеры поспешили покинуть Францию вместе с семьями, уже в августе 1940 года они были по ту сторону океана. Но покинуть Францию вовсе не означало прекратить производство, хотя примерно в это же время их фабрика в окрестностях Лондона была уничтожена прямым попаданием авиационной бомбы. Работа же французской фабрики не останавливалась.

Решив вопрос с возвращением из плена своего племянника Андре Паласса (об этом будет рассказано позже), Шанель поняла, что пора браться за Вертхаймеров. При нацистской администрации у нее появилась возможность «поставить на место» партнеров. Дело в том, что согласно оккупационным законам на предприятиях, владельцы которых бежали из Франции, назначалось новое руководство. А уж если вспомнить, что Вертхаймеры евреи... Могла ли Шанель не воспользоваться столь заманчивой возможностью вернуть себе утраченное и недоданное, по ее мнению?

Не могла, и воспользовалась. Она решила взять управление производством в свои руки, вернее, поставить туда своего человека, а потом и вовсе «отменить» Вертхаймеров. Отнять свои духи у ненавистных Вертхаймеров — что может быть заманчивей, даже если придется воспользоваться антисемитским законом оккупантов. Шанель воспользовалась.

Но она не учла одного: время оказалось упущено, Вертхаймеры уже приняли меры. Шанель жила во Франции, они удрали в Америку, она была арийкой, они евреями... Разве она могла проиграть? Не могла! Но проиграла. Клан Вертхаймеров был предусмотрительней.

Братья не стали ждать, пока вступит в силу пресловутый закон о сбежавших собственниках, они нашли арийца, которому задним числом продали свою фирму за гроши. Таким стал промышленник, строивший до войны самолеты и не имевший ни малейшего отношения к производству парфюмерии. Затем были щедро оплачены услуги немца, готового поставить печати на нужные документы, чтобы все выглядело законно, и 90 процентов акций фирмы «Духи Шанель» стали принадлежать конструктору самолетов Амьо.

Во главе нового административного совета тоже поставлен свой человек Вертхаймеров. Чтобы доказать Шанель, что она ничего не сможет сделать против, этим человеком, словно в насмешку, выбран давний знакомый Коко сводный брат возлюбленного Адриенны Робер де Нексон. Все прекрасно понимали, что в самой фирме все осталось по-прежнему и Амьо лишь номинальный владелец, выполняющий распоряжения из-за океана.

Можно представить себе, как возмущалась Шанель, сколько горечи чувствовала, но, как бы она ни скрипела зубами и ни ругалась, изменить ничего не смогла, Вертхаймеры продолжали получать дивиденды, не сопоставимые с ней самой от выпуска ее духов. Ей бы как раз в то время и расторгнуть договор, но для этого требовалось уже серьезное вмешательство оккупационных властей, а на такое Шанель не пошла. Любви к обманщикам-партнерам это не добавило. Получая по 5000 долларов за целый год и при этом зная о миллионных доходах партнеров, едва ли можно питать к ним теплые чувства.

Но изменить ничего оказалось нельзя, оставалось только смириться.

Мало того, Вертхаймеры, даже находясь за океаном, умудрились скупить в Грассе все запасы жасминовой эссенции и переправить их в США, чтобы основное производство духов осуществлять именно там. Это окончательно уводило доходы от Шанель. Ей оставались только 10 процентов от крох, выпускаемых французским Обществом и продаваемых в бутике на рю Камбон.

Не будем сейчас пересказывать другие события военных лет, всему свое время, тем более они были очень и очень странными и непростыми. Но после окончания войны государств война между Шанель и Вертхаймерами продолжилась, и вот тут Мадемуазель показала, что зря ее посчитали старой и слабой...

Сразу после освобождения Франции Шанель пришлось уехать в Швейцарию, о причинах тоже расскажу позже. Там, в горах, где чистый воздух и война казалась такой далекой и нереальной, Коко снова принялась действовать. Талантливые парфюмеры не только в Грассе и не только те, кто работал на Вертхаймеров, в Швейцарии нашлись свои. Швейцарский парфюмер, используя формулу, принадлежавшую Шанель, создал идентичный аромат и даже несколько его улучшил. Вернее, было создано несколько ароматов, даже превосходивших по качеству и приятности запаха «Шанель № 5». Один из них назван «Мадемуазель Шанель». Имела ли она на это право? Конечно.

Однако, когда Коко попыталась выставить духи в своем бутике на рю Камбон, общество «Духи Шанель» тут же наложило на новые ароматы арест. Это было нечестно, но пока длились судебные разбирательства, продавать духи оказалось невозможным.

Шанель пришла в бешенство:

— Я хочу отомстить! Это будет все или ничего!

Рене де Шамбрен и старшина адвокатов Кретейя напрасно пытались убедить Мадемуазель, что лучше все решить миром. Шанель требовала своей доли в продажах по всему миру и возмещения всех понесенных в прежние годы убытков. Адвокаты не верили в возможность такого решения.

Но то, что не может придумать и сделать десяток опытных адвокатов, придумает одна женщина, если это Коко Шанель! Может, она и смирилась бы с меньшим, но, услышав, что о ней думают и говорят партнеры-противники, пришла в настоящую ярость!

Вертхаймеры чувствовали себя «на коне». Во Франции вовсю шла борьба с коллаборационистами, к которым относилась и Шанель, ведь во время войны она жила в отеле «Ритц», главное крыло которого занимали высокопоставленные немцы, имела роман с нацистом и вообще была вполне лояльна к оккупантам. А Вертхаймеры вернулись из США, были гонимыми во времена оккупации евреями и чувствовали себя достаточно уверенно. К тому же Шанель была уже просто в возрасте, ей больше 60 лет, она давно не показывала новых коллекций, закрыла свой Дом моделей на рю Камбон, никакая она не законодательница моды...

Почти старая женщина, которой сидеть бы тихонько, стараясь, чтобы не вспоминали о поведении в военные годы...

Если Шанель и могла смириться и получать свои минимальные дивиденды, то после вот таких слов взъярилась окончательно:

— Это я слишком стара?! Эти... (когда требовалось, Мадемуазель с легкостью использовала не принятые в светском обществе выражения) считают меня старой и ни на что не способной?! Все или ничего!

За два месяца, на которые было отложено слушание дела о возмещении понесенных убытков, Шанель развила такую деятельность, какой Вертхаймеры от нее никак не ожидали. Это они считали, что Мадемуазель следует забиться в норку и не напоминать о себе, сама

Шанель, не чувствуя за собой вины и не желая уступать, отсиживаться не собиралась.

Рене де Шамбрен получил флакон духов для своей супруги Жозе, кстати, дочери опального Пьера Лаваля — премьер-министра на оккупированной территории Франции. Жозе и все, кому еще удалось понюхать новый аромат, были в восторге. Приглашенный специалист из фирмы Коти тоже пришел в экстаз.

— Я лишком стара? Они у меня увидят, как я стара! Они у меня узнают, как со мной связываться! Я им покажу старуху!..

Далее следовали непарламентские выражения. Нельзя сильнее задеть женщину, чем укорив ее возрастом. Вертхаймеры (или их адвокаты) оказались слишком неосторожными, раньше времени списав Шанель со счетов и столь вольно отзываясь о ней.

Флакончики с новыми духами немедленно были отправлены всем владельцам крупных магазинов Нью-Йорка в качестве подарка для их жен, дочерей и возлюбленных. Незадолго до этого Вертхаймеры вложили огромную сумму в рекламу духов «Шанель № 5» в США, но своим поступком Мадемуазель свела их усилия на нет. Ей было безразлично, она получала слишком малые дивиденды от продаж в США, потерей 10 процентов от 5000 долларов в год ради удовлетворения своего злорадного ехидства можно и пожертвовать.

Новые духи «Мадемуазель Шанель» грозили опрокинуть успех «Шанель № 5», и Вертхаймеры это быстро поняли.

Рене де Шамбрен вспоминал, как в его офис в Париже буквально ворвалась компания адвокатов во главе с обоими Вертхаймерами с воплем:

— Чего же она, в конце концов, хочет?!

Шамбрен, вспомнив слова Мадемуазель, пожал плечами:

— Всего.

«Все» означало возвращение потерянных за прошлые годы денег и участие в прибыли не пропорционально вложенным когда-то в 1924 году средствам, а пропорционально продажам духов по всему миру. Это были огромные деньги, и теперь пришла очередь непарламентских выражений из уст Вертхаймеров.

Вертхаймеры могли использовать всю свою мощь против Шанель, но ей терять было нечего, зато имелась реальная угроза против партнеров-соперников. Мадемуазель могла просто подарить кому-нибудь свои несчастные 10 процентов и начать все заново, но уже не под своим именем, а, например, от имени племянника или внучатой племянницы. У Шанель была формула духов, которые могли просто опрокинуть прежние, Коти с удовольствием согласились бы выпускать столь интересный аромат с брендовым именем. Да и без Коти нашлось немало парфюмерных фабрик, готовых делать это, и немало магазинов, готовых продавать продукцию. Адвокат осторожно намекнул на вероятность таких переговоров. Вертхаймеры задумались...

Рене де Шамбрен сделал вид, что Шанель в Швейцарии, а потому должен поговорить с ней по телефону и попросить приехать, если братья готовы к переговорам. Братья угрозу поняли и на переговоры согласились. Пришлось Мадемуазель «приезжать».

И все же в 1947 году Шанель не была вполне реабилитирована, потому что ее видели в отеле «Ритц» и рядом с немцем Гансом фон Динклаге. Что это за немец, будет рассказано в главах, посвященных годам оккупации. Мадемуазель оказалась в числе тех, на кого показывали пальцем.

Почему же Вертхаймеры не воспользовались такой ситуацией, не придали судебному процессу против нее политическую окраску? Понимала ли такую угрозу Шанель, а если да, то почему не боялась? Напротив, еще пять лет после этого спокойно помогала осужденному нацистскому преступнику Вальтеру Шелленбергу — до самой его смерти.

Почему Вертхаймеры не воспользовались «тяжелой артиллерией», которой могли бы запросто уничтожить Шанель?

Считается, что из-за порядочности либо из нежелания топить бренд своей продукции. Низвержение Шанель, несомненно, едва ли сыграло бы на пользу популярности духов, особенно во времена, когда шли процессы против нацистов и их пособников. Но вряд ли братья были готовы платить столь дорогую цену, какую запрашивала Мадемуазель, за сохранение бренда кристально чистым. И оправдывать согласие партнеров на невиданные уступки только их порядочностью и жалостью к «старухе» не стоит. Продажу фирмы за гроши совершенно чужому человеку, ни в малейшей степени не связанному с производством парфюмерии, при том что есть совладелица, жаждущая взять управление в свои руки, едва ли можно назвать порядочностью и хорошим отношением к Шанель.

Нет, здесь скорее другое. Вертхаймеры не могли воспользоваться возможностью утопить Шанель, показывая пальцем на ее жизнь во время оккупации, причем по двум причинам. Во-первых, наверняка были немало запачканы сами, ведь их подручный Амьо во время войны спокойно продавал духи в Германии, тоже считался коллаборационистом, а сам договор о продаже ему фирмы был явно заключен задним числом, значит, не без участия оккупационных властей (разве это не сотрудничество с немцами?).

Во-вторых, создается впечатление, что Вертхаймеры знали, что Шанель НЕЛЬЗЯ утопить, что-то имелось у нее оправдательное, из-за чего Мадемуазель не боялась никаких нападок по поводу своего поведения во время оккупации. Недаром после ареста новые французские власти продержали ее всего несколько часов на допросе, в то время как многие другие проводили при разбирательствах в лучшем случае по несколько месяцев в тюрьмах. Но об этом тоже в свое время. Пока запомним: Вертхаймеры не стали воевать против решительной Мадемуазель, пойдя на мировую и предложив ей новый договор на ЕЕ условиях. Почему?

А условия были весьма в пользу Шанель. Мадемуазель получала:

— право производить и продавать во всем мире духи «Мадемуазель Шанель»;

— значительное возмещение понесенных прежде убытков — 180 000 долларов, 20 000 ливров Великобритании и 5 000 000 франков;

но главное — 2 процента от продажи духов Шанель по всему миру!

Наивно было бы полагать, что Вертхаймеры подарили Шанель столь значительный доход просто из уважения к ее старости. Кстати, они никогда ни разу не попытались нарушить это соглашение и шли навстречу, если Мадемуазель вдруг требовала еще что-то. Пишут о поразительной лояльности Пьера Вертхаймера и едва ли ни его тайной влюбленности в Шанель. Влюбленность влюбленностью, если таковая и была, а денежки сюда примешивать не стоит. Акулы такого масштаба, имея возможность свалить конкурентку, даже если она бывшая партнерша, никогда не упустят своего. Просто у Шанель наверняка было что-то против Вертхаймеров из секретного арсенала, о чем не мог знать даже верный Рене де Шамбрен.

Как бы то ни было, соглашение заключено, мир достигнут, шампанское распито.

Духи «Мадемуазель Шанель», по признанию тех, кому они все же достались, заметно превосходили «Шанель № 5», но так и не были выпущены, хотя еще некоторое время Коко угрожала Вертхаймерам такой мерой, а потом их формула и вовсе была подарена все тем же партнерам-противникам. А сам Пьер Вертхаймер даже поддержал Шанель, когда та решила вернуться в строй и создать новую коллекцию одежды после пятнадцати лет отсутствия.

Но это было уже в пятидесятых годах. Так закончилась многолетняя война с партнерами, в которой Мадемуазель победила, применив не юридические уловки, а женскую хитрость...

Фирма «Буржуа» благополучно существует и сейчас, возглавляют ее потомки Поля и Пьера Вертхаймеров, строго следя, чтобы рецептура брендовых духов соблюдалась неукоснительно. Фирма выпустила множество вариантов «Шанель», на ней разработано немало новых духов, которые ничуть не хуже, а может, и лучше «Шанель № 5», но нет ни одних более известных.

Существуют ли вообще более известные духи, чем те, что были в скромном флаконе под номером 5, которые выбрала в качестве «Запаха женщины» великая Мадемуазель почти сто лет назад?

КАК НЕ СТАТЬ ГЕРЦОГИНЕЙ

Герцог Вестминстерский, он же Вендор

Фраза «Герцогинь много, а Шанель одна!» придумана, скорее всего, журналистами, но самой Коко так понравилась, что была воспринята как собственная.

Но дыма без огня не бывает, газеты не зря «женили» Коко Шанель и Ричарда Хью Гросвенора герцога Вестминстерского, в просторечье Вендора. Был романчик-то, был...

Ни герцог, ни Шанель от этого романа не открещивались.

Познакомила их Вера Бейт. Вообще-то она была Сара Гертруда Аркрайт, светская дама, знакомая, кажется, со всеми подряд, работавшая у Шанель. Черчилль вспоминал, как пытался выяснить у Шанель, чем же занимается Вера в ее ателье:

— Администратор?

—Нет.

—Заместитель?

—Нет.

—А кто?

—Советчица. Она здесь, вот и все.

Коко не желала признаваться, что все еще ощущает себя просто портнихой и что ей нужны советы по поведению в свете и кто-то, кто знакомил бы ее со светским обществом. Вера, которую знали все и которая знала всех, легко могла представить Шанель очень многим. К тому же на ней прекрасно сидели модели, созданные Коко, Вера получала от Шанель костюмы и просто разъезжала по Парижу, Лондону, Риму, бывала в Италии, отдыхала на Ривьере. Она показывалась в свете, вызывая восхищение и желание у женщин сшить себе такое же. Ходячая модель, которая, однако, обходилась Шанель очень недешево — 30 000 франков в месяц.

Будучи сердитой на Веру, Шанель как-то рассказала, что та якобы уговорила ее пойти на первый ужин на шикарную яхту Гросвенора, потому что получила от герцога обещание оплаты. Конечно, если такое случилось, Коко должна была разозлиться — ее показывали за деньги! Удивительно, как Шанель не выгнала Веру тут же. Вообще, сомнительно, что Шанель пошла бы на яхту, знай она о таком предложении. У Коко было болезненное отношение к деньгам, которые на нее тратят мужчины. Она и первый шляпный салон открыла, только чтобы не зависеть от чужих средств и иметь для жизни свои. А потом принципиально вернула все потраченное на себя Кейпелу. Скорее другое: Шанель выгнала Веру в 1937 году, возможно, именно тогда узнав о предложении Вендора. Знаете, как бывает у женщин, сказанное в запале «да он мне заплатил за тебя!» могло разрушить любую дружбу.

Как бы то ни было, но по совету Веры и, между прочим, великого князя Дмитрия Шанель отправилась на ужин на яхту «Летучее облако», принадлежавшую Ричарду Хью Гросвенору герцогу Вестминстерскому, самому богатому человеку Англии (скорее всего, и Европы, а Шанель так вовсе твердила, что мира).

Уинстон Черчилль, приятель герцога, звавший его самого Бенни, описывал супруге это чудо судостроения:

«Это удивительно красивая яхта. Представь себе четырехмачтовое грузовое судно, отделанное резным дубом, будто небольшой коттедж, с парадными дверями, лестницами, чудесными картинами. Под парусом она выжимает 12 узлов, с мотором — 8 и способна принять 16 гостей...»

Сэру Уинстону Черчиллю можно доверять в оценке плавательных средств по двум причинам. Во-первых, он был первым лордом Адмиралтейства (военно-морским министром), следовательно, яхту от нефтеналивного танкера отличал и понимал, что узел — это не только то, что завязывают на уголке носового платка для памяти или на шнурках ботинок. Во-вторых, по его собственным словам, «легко довольствовался самым лучшим», следовательно, знал толк в отделке и удобстве.

«Летучее облако» действительно было восхитительным со всех точек зрения, самый богатый человек Англии тоже легко довольствовался только самым лучшим. Белоснежные паруса над такой же белой палубой и черным корпусом прекрасно ловили ветер, хорошо обученная команда из сорока человек умело справлялась с такелажем, прислуга была незаметной, обстановка роскошной, обеды изысканными, в чем Шанель и ее спутники — Вера и Дмитрий — убедились в первый же визит.

Ну ладно, яхта хороша, а сам владелец, что о нем можно сказать, кроме того, что богаче всех? О, Ричард Хью Гросвенор герцог Вестминстерский, в просторечье Вендор, был личностью совершенно примечательной. Начать с прозвища — то ли Вендор, то ли Бендор, в разных источниках по-разному. Внуку его дал дед, причем в честь... любимой лошади! И снова разнятся данные в книгах, где-то пишут о кобыле, где-то о жеребце, думаю, для нас разницы никакой, главное, была у деда лошадка, за которую предлагали целое состояние и по поводу которой Гросвенор-старший сказал, что заплатить за нее не хватит всех денег Америки. Вот в честь этой лошадки и прозвали любимого внука.

Внук действительно был любимым, потому что получил все наследство дедушки, а было оно столь большим, что с тех пор у Гросвенора-младшего появилась новая забота — не забыть о каком-нибудь из своих супермногочисленных замков и домов, раскиданных по всей Европе, а еще сбежать от назойливого внимания любопытных журналистов, таскавшихся за ним по белу свету. Что делать, папарацци, это божье наказание всех публичных людей, старательно отрабатывали гонорары, поставляя в газеты все новые и новые статьи и фотографии Вендора с его дамами.

В конце концов, Гросвенор наплевал на фотографов, научился охранять свои владения от любопытных (тогда еще не было частных вертолетов и возможности снимать звезд неглиже на личном пляже с воздуха) и стал жить только одним: стараться доставлять себе удовольствия.

В перечень этих удовольствий, конечно, входили женщины, а еще морские путешествия, рыбалка, охота, безусловно, лошади и еще кое-какая мелочь вроде дорогих автомобилей и собственных оранжерей с экзотическими цветами и фруктами...

Генри Киссинджер (очень известный политик 70-х) метко заметил: «Идеальный афродизиак — это власть».

А деньги? Наверное, не меньший. Имея то, что имел Вендор, не очаровать женщину очень трудно, даже если она сама достаточно состоятельна.

Шанель уже имела собственные деньги, столь немалые, что не задумываясь могла платить приятельнице зарплату, равную годовому доходу среднего чиновника, только за представительство и советы. Конечно, можно напомнить, что бывают советы, которые стоят состояния, но Шанель платила не одной Вере Бейт. Коко могла покупать машины, снимать себе огромную дорогую квартиру в Париже, содержать братьев с их семьями, а также семью Стравинских, Жана Кокто с его любовниками, артистов «Русского балета» Дягилева (конечно, не всех, но многих) и помогать еще куче страждущих. Но это были совершенные мелочи по сравнению с возможностями герцога Вестминстерского!

К моменту встречи с Шанель Вендор был женат уже второй раз. Первая его супруга Шейла родила сначала дочь Урсулу, а потом сына Эдварда Джорджа Хью Гросвенора. Красивая, блистательная Шейла, урожденная Корнулис-Эст, которую Вендор любил с юности, однако была разочарована браком. Чего не хватало этим двоим, имевшим, казалось, все? Но ушла любовь, а вместе с ней и счастье, супруги были откровенно неверны друг другу.

Вендор никогда не считал себя обязанным хранить верность, ни в первом браке, ни во втором, ни в третьем, ни в перерывах между ними...

Первый брак рухнул, когда в начале 1909 года четырехлетний сын Вендора и Шейлы погиб в результате слишком поздно проведенной операции по удалению аппендицита, попросту от перитонита. Вендор обвинил в невнимательности к здоровью сына жену и был прав, потому что врачам ребенка показали через несколько дней после того, как он стал жаловаться на боли в животе. Но Шейла оказалась снова в положении, и супруги надеялись, что родится сын. Родилась дочь Мэри. Бедная девочка, ни мать, ни отец даже не взглянули на нее!..

Вендор бросился в водоворот страстей, его любовницами стали знаменитые актрисы, у Гросвенора был роман в том числе с Анной Павловой.

В 1913 году Вендор предложил супруге развод и весьма приличное содержание, но одна мысль, что она сразу потеряет столь многое, подвигла Шейлу на просьбу о пересмотре решения и возвращении к нормальной семейной жизни. Жена обещала забыть все романы супруга и постараться сделать его счастливым. Вендор от такого счастья отказался, предпочитая свободу. Начались юридические проволочки.

В это же время младший любимый брат Вендора Перси Уиндем (вы уже встречали это имя, сейчас поймете, в связи с чем) решил жениться. Мать Вендора родила Перси во втором браке от Джорджа Уиндема, бывшего старше пасынка лет на шесть, пасынок и отчим дружили скорее как братья, а Перси был для Вендора любимой игрушкой.

Перси Уиндем женился на младшей дочери лорда Риббсдейла Диане Листер. Пара сложилась прекрасная, оба молоды, хороши собой и, кажется, любили друг друга.

Правда, за радостным событием последовали печальные. Сначала от сердечной недостаточности скончался отчим Вендора, из-за чего тот сильно горевал, а в следующем году на фронте погиб Перси Уиндем, как писал сестре Вендор, «прихватив с собой кучу немцев»...

Через несколько лет вдова Перси Уиндема леди Диана Уиндем, презрев мнение света, вышла замуж за... Артура Кейпела и родила ему двух девочек, одну при его жизни, а вторую после смерти. Только третье замужество Дианы было продолжительным и удачным. Мир поистине тесен, хотя Шанель, склонная к мистике, считала, что Вендора ей прислал Бой!

Но до Шанель он успел жениться еще раз, теперь его избранницей стала Вайолет Нельсон, младшая дочь сэра Уильяма Нельсона. Думается, Вендор выбрал Вайолет вполне осознанно, ему был нужен наследник громадного состояния. Будь жив Перси или будь у того сын, Вендор, возможно, и смирился бы с отсутствием такового у себя, но вокруг рождались одни дочери. У Вайолет был сын от первого брака, то есть она вполне могла подарить Вендору еще одного. Снова красавица жена, великолепно державшаяся в седле, блестящая светская дама, снова все предпосылки для если не счастливого, то успешного брака и — снова ничего!

Герцог Вестминстерский построил «Летучее облако», но это не помогло, даже в романтической морской обстановке наследник не зарождался. К тому же что первая, что вторая супруги страдали морской болезнью и пристрастия мужа к путешествиям по воде не разделяли. И то, едва ли захочется заниматься любовью, если тебя с утра до вечера мутит...

Шанель морской болезнью не страдала, напротив,

ей очень понравилась не только роскошная обстановка яхты, но и возможность вдыхать морской ветер с ее борта. Вендор был в восторге, казалось, он легко сумеет завоевать эту женщину!

Но не тут-то было...

Коко только что встала на ноги, она уже была достаточно состоятельна, чтобы оплачивать все свои прихоти, иметь виллу «Бель Респиро», арендовать огромную квартиру в Париже, нанимать на работу светских львиц, нуждавшихся в деньгах, меценатствовать, наконец... Для девочки из обазинского приюта это очень существенно, она не просто диктовала моду Парижу, она была самостоятельна!

И вдруг ей оказал внимание тот, рядом с кем вся ее самостоятельность выглядела нищенством. Вилла «Бель Респиро»? Что она по сравнению с огромным Итоном или Гросвенор-Холлом в Лондоне? Возможность купить новый «Роллс» и с шиком прокатиться в Монте-Карло? А как насчет того, чтобы иметь по несколько машин в гаражах практически в каждой стране Европы, одну из самых больших частных яхт в мире и множество катеров для прогулок? Например, в гараже Итон-Холла Шанель насчитала целых семнадцать «Роллсов»...

У Вендора было столько всего, что и куда более состоятельная женщина показалась бы рядом с ним нищенкой. Герцогу Вестминстерскому принадлежали десятки замков, домов, поместий по всей Европе, потому что охотиться на кабана лучше во французском Мимизане, ловить форель в водах холодных быстрых речек

Шотландии, для чего герцога с его друзьями всегда были готовы принять в огромном гранитном замке в Лохморе, построенном в викторианском стиле, и в уютном поместье в Стак-Лодже, и в поместье в Далмации, и в десятке замков Германии, Швейцарии, Испании... Коко рассказывала Полю Морану, что в каждой поездке с Вендором видела новое поместье, причем везде их ждали шеренги вышколенных слуг, облаченных в отутюженные ливреи, егеря, точно знавшие, где в это время залег какой вепрь, начищенные машины с полными баками горючего, яхты с поднятыми парусами, катера, готовые в любую минуту отчалить, лошади, которых оставалось только оседлать, обязательно готовые к приему спальни и прекрасный ужин.

Это была просто другая жизнь, о которой Коко не могла и мечтать по одной простой причине: она не подозревала, что такая существует. Казалось, весь мир придуман только для того, чтобы удовлетворять любые прихоти Вендора, а вместе с ним всех, кого он осчастливил своей близостью.

И все же...

Шанель отвергла первые авансы герцога Вестминстерского!

Она что, глупа? Безродная девчонка, выбившаяся пусть и в люди, но не на самый же верх, посмела дернуть плечиком: «Видали мы таких!»?

Или слишком хитра и это такая хитрость?

Нет, хитрости не было, сначала не было и понимания, что же такое Вендор, то есть Шанель знала, что он богат, безумно богат. Но скажите, кто из нас представляет это самое «безумно»? Если вы (как и я) на прошлой неделе не бывали в гостях у королевы Великобритании, то, смею уверить, даже понятия не имеете об этом уровне. Апартаменты бывшего владельца Черкизона ничто по сравнению с богатством, осененным столетиями. Помните рассказ о том, как английского садовника спросили, как ему удалось в имении аристократа создать столь идеальный газон? Ответ был прост:

— О, это очень легко! Тщательно выровняйте место для газона, засейте его хорошей травой и старательно ухаживайте триста лет...

Понимаете, когда триста лет прислуга стоит по струнке в парадных ливреях в ожидании хозяина, когда триста лет в поместье соблюдается порядок и все содержится в полной готовности в любую минуту принять владельца и его гостей, триста лет сотни людей только и думают, как бы не вызвать недовольство того, кто им вполне щедро платит, когда все вокруг отточено и заточено на удовлетворение любой прихоти, это нечто совсем иное, чем готовность обслуживающего персонала выполнить любой каприз VIP-постояльца президентских апартаментов самого роскошного отеля. Слуги герцога Вестминстерского чувствовали себя иначе, чем обслуживающий персонал президент-отеля, хотя бы потому, что в отеле может остановиться каждый, кто заплатит, а в поместье Вендора нет, в Итон-Холл нужно быть приглашенным, в средних размеров дом в Стак-Лодже тоже. А это значило, нужно принадлежать не просто к кругу избранных, а к кругу избранных друзей самого богатого человека Великобритании.

Между прочим, сейчас в Стак-Лодж можно приехать и остановиться в очаровательном отеле всего на 13 мест. Окрестности и впрямь красивые — полукружье заснеженных гор, еловый лес, обрамляющий поляну на берегу, посередине которой тесно прижались друг к дружке несколько старинных каменных зданий. Внутри просто, но стильно: занавеси в цветочек на окнах, деревянные панели на стенах, большой старый ковер на полу, вышитые вручную подушки на креслах, старинные бронзовые часы на камине, а над ним развесистые оленьи рога, видно, добыча кого-то из прежних хозяев. И тишина... Там наверняка кажется, что в мире больше не существует ничего, только вот эти горы, вот эта поляна и тихий плеск воды...

Но вернемся к Шанель, которая вовсе не бросилась с визгом восторга на шею герцогу Вестминстерскому при первых знаках его внимания. Если бы она нарочно захотела придумать что-то, чтобы привлечь его, то не смогла бы сделать лучше, чем сделала. Не думаю, что она первая, кто попытался завоевать Вендора именно таким способом — отказав при первых попытках ухаживать, наверняка же находились сообразительные.

Герцог Вестминстерский ухаживал, как жил — широко. У него были роскошные оранжереи с диковинными цветами и фруктами, так почему бы не прислать понравившейся даме букетик размером с половину гостиной или посылочку с фруктами с центнер весом?

Ну и что тут выдающегося? Эка невидаль — полвагона орхидей или гора ананасов! Ничего особенного, разве что цветами были первые в году примулы или ирисы, а на дне посылки с фруктами камердинер Шанель Жозеф обнаружил красивую коробку, в которой лежал... огромный необработанный изумруд размером с кулак! Это был стиль Вендора, он не любил камни, вставленные в оправу, и предпочитал дарить необработанные, чтобы дама сама могла решить, в каком виде станет носить драгоценность. Правда, охотно дарил и ювелирные изделия тоже, но только после того, как узнавал пристрастия любовницы.

Фрукты и цветы доставляли нарочные, без конца мотавшиеся из Англии во Францию по желанию герцога. Но однажды Жозеф, открыв дверь квартиры, обнаружил перед собой букет такого размера, что человека за ним просто не было видно. Понятно, что эта срезанная оранжерея могла быть только от Вендора. Жозеф кивнул, чтобы цветы вносили в прихожую, готовясь наградить доставившего их верзилу хорошими чаевыми, все же тащить этакий сноп нелегко. Каково же было его изумление, когда верзилой оказался сам герцог Вестминстерский, решивший лично доставить срезанные цветочки!

Герцог действительно был верзилой. На фотографии,

сделанной, судя по всему, в Лохморе, они с Шанель под ручку, при этом Коко стоит на ступеньку выше и все равно едва достает герцогу до уха. Вендор рослый, сильный, спортивный, с внешностью настоящего морского волка, загорелым, обветренным лицом и добродушным характером. Примечательно то, что на его ногах явно старая, сильно поношенная обувь. Это еще одна «фишка» герцога. Вендор терпеть не мог новую обувь и предпочитал разношенную, потому что та не натирает ноги.

Много позже Шанель рискнула подарить ему дюжину пар туфель, сшитых лучшим мастером Франции, но попыталась схитрить, попросила его дворецкого просто подставить обувь в комнату герцога. А на следующий день из окна своей спальни в его замке наблюдала интересную картину: Вендор вышел во двор в совершенно новеньких, только вчера привезенных из Франции туфлях, подтянул штанины и направился прямиком в ближайшую лужу! Основательно потоптавшись в грязи и превратив новую обувь в старую, он с довольным видом вернулся в дом. Не понравились туфли? Ничего подобного, они были удобными, и носил Вендор подарок долго, просто он и впрямь терпеть не мог новенькие блестящие туфли. Пришлось Коко смириться и лицезреть потрепанную обувь на ногах любовника. Кстати, шнурки у стоптанных туфлей слуга совершенно серьезно гладил каждое утро.

Именно такие туфли у него на фотографии, появляется желание герцога либо переобуть, либо просто почистить его штиблеты ваксой.

И сам Вендор, и его приятели держались просто, словно за ними не стояли миллионы фунтов и сотни лет близости к королевской семье.

Через пару дней после истории с букетом Жозеф снова открыл дверь на звонок. Цветов не было, зато был весьма скромный, хотя и элегантно одетый человек, сказавший, что у него встреча с Верой Бейт. Вера не вернулась с прогулки, а Коко была занята. Услышав об этом, человек попросил разрешения подождать Веру в буфетной, а Коко вообще не говорить о его визите, чтобы не отвлекать от работы. Камердинер пожал плечами и усадил молодого человека на стул, тут же забыв о нем.

Вера отсутствовала долго, когда она наконец вернулась, Жозеф вспомнил о госте, которого в буфетной не оказалось, соскучившись, тот прошел на кухню и завел разговор с поваром об умении готовить профитроли. На вопрос Жозефа, как его представить Вере Бейт, скромно улыбнулся:

— Принц Уэльский.

Наверное, Жозеф икнул, потому что перед ним стоял наследник английской короны, будущий король Англии Эдуард! Но будущий король не выказал обиды за то, что его на несколько часов оставили сидеть на стуле в буфетной, а как ни в чем не бывало прошел в гостиную.

Как реагировала Шанель на столь дорогие подарки, как изумруд размером с кулак?

Вот это и было для нее самым... неприятным! Создавалось впечатление, что Вендор ее просто покупает. Хозяин жизни... Вспомните, как мучилась Коко еще в Руайо, не желая становиться содержанкой Бальсана, как потом билась за финансовую самостоятельность, как зарабатывала и возвращала деньги Бою Кейпелу, только чтобы не зависеть от денег мужчины! А как быть с Вендором? Отказываться от букетов из его оранжерей глупо, не принимать изумруды тоже, будешь выглядеть просто деревенщиной.

Шанель нашла выход, видимо, потрясший Вендора основательно, — она стала делать ему в ответ столь же ценные подарки! Мися возмущалась:

— Ты сошла с ума, подарить запонки ценой с половину машины?!

Таких женщин у герцога еще не было, запахло уже не любовной интрижкой (а Вендор еще не был разведен с Вайолет, хотя давно жил отдельно и о супруге просто не вспоминал), а серьезным романом, то есть сенсацией. У газетчиков нюх на такие дела, страницы разных изданий запестрели предположениями о возможной свадьбе герцога с королевой парижской моды, тем более Вендор затеял развод со своей второй женой.

Мог ли герцог Вестминстерский позволить себе столь откровенный мезальянс, если такого не допустил куда более простой Артур Кейпел? Вот этот мог! Богатство герцога Вестминстерского и степень его независимости были таковыми, что он мог наплевать на родословную и жениться на понравившейся ему женщине, даже при том, что никто не ведал о ее происхождении. А если вспомнить, что Шанель сама по себе уже была достаточно известна в Европе, тем более.

Кейпелу нельзя жениться на Шанель, потому что это потянуло бы его вниз, герцогу Вестминстерскому такое не грозило, поколебать его положение невозможно. Женился бы он? Вполне возможно, если бы... Но до этого мы еще дойдем.

Сначала Коко все же стала любовницей Вендора, причем сделала это вполне сознательно. Нет, сам Бенни ей очень нравился, напомню, что он был высок, спортивен, симпатичен и вовсе не зануда и не сноб. Шанель вошла в совсем иную жизнь, где малейшее желание выполнялось срочно и беспрекословно, едва стоило его произнести. Неизвестно, что уж там думали вышколенные слуги роскошного огромного Итона, но внешне они ничем свое презрение к мадемуазель Шанель не выдавали.

Возможно, умная Коко уловила что-то во взглядах или сама себе придумала это легкое презрение, но она нашла способ поставить на место прислугу Итона — стала разговаривать с ними только по-французски, мотивируя это тем, что недостаточно хорошо владеет английским. Интересно, а как она говорила с гостями Итон-Холла, едва ли им приходилось ради любовницы Вендора переходить на французский? Как бы то ни было, показать свое место удалось, помог и сам Вендор, он распорядился во всем подчиняться мадемуазель, когда та в Итоне. Правда, саму Коко попросил не менять установленные давным-давно порядки, если это не касалось ее лично и не вредило Итону.

Коко в качестве хозяйки Итон-Холла на приеме, где присутствуют сливки английского общества... Разве могло такое привидеться ей даже в самых смелых мечтах или снах? Да воспитанница Обазина и знать не знала о таком месте, как Итон, для нее верхом достижений был Париж. Но теперь Париж покорен, неужели пришло время покорения и высшего света? Тогда в качестве кого?

Думаю, как бы ни делала Шанель независимый вид, не понимать свое собственное место и положение в обществе она не могла. Можно сколько угодно купаться в роскоши, сколько угодно вращаться в высшем обществе, сколько угодно диктовать моду и вкусовые пристрастия, но забыть о своем прошлом нельзя. Стоит пройти под руку с Вендором к алтарю, и газетчиков не остановит уже ничто, вмиг раскопают и Руайо, и Мулен, и Обазин. Возможно, Вендору будет на это наплевать, но что произойдет, если раскопают ее родственников-Шанелей? Боялась ли Коко их? Возможно, ведь у нее была тьма-тьмущая теток и дядей, которым когда-то дети Альберта Шанеля и Жанны Деволь были обузой и которые теперь запросто могли напомнить о себе. Всю жизнь прятаться и скрывать правду о выступлениях в кафешантане Мулена и жизни в Руайо? Скрывать, что у нее есть братья, живущие за ее счет, отец, разъезжающий по ярмаркам Оверни и торгующий мелочью, что свое прозвище Коко она получила за фривольные куплеты, распеваемые хриплым голоском?

Это в обществе Миси, Жана Кокто, Дягилева и его подопечных она могла вообще не говорить о своей родословной и своем прошлом, там не интересовались, а спрятаться от пристального внимания, если придется стать герцогиней Вестминстерской, не удастся. Боялась ли этого Шанель? Даже если никогда об этом не говорила, наверняка боялась, не могла не бояться.

У Коко были примеры удачных замужеств, ее собственная тетушка Адриенна, рядом с которой столько пережито и пройдено, много лет уже жила гражданским браком с бароном Нексоном, попросту дожидаясь кончины его отца, чтобы обвенчаться; одна из участниц веселья в Руайо Марта Давелли, та самая, что познакомила ее с Дмитрием, стала супругой сахарозаводчика Константина Сэя, Габриэль Дорзиа вышла замуж за графа де Зогеб...

Были и другие примеры. Эмильенна д'Алансон, в которую бывали влюблены многие от Бальсана до бельгийского короля, тоже бывала в Англии вместе с этим королем под видом графини де Сонжон...

Так что делать самой Шанель? Неизвестно, делал ли ей действительно предложение герцог Вестминстерский, возможно, разговор об этом шел, по крайней мере, первые годы, когда они стали неразлучны, но в ее коллекции драгоценностей, полученных от герцога, обручального кольца, которое надевают при помолвке, не имелось. Вот восемь метров отборного жемчуга были, а такого кольца нет.

Нашлись другие сложности.

Шанель окунулась в ту жизнь, которой жил герцог, она разъезжала с ним по поместьям, путешествовала на обеих его яхтах, благо не боялась качки (у герцога помимо роскошного «Летучего облака» была еще махина «Катти Сарк» — бывший эсминец, переделанный под нужды светского морского волка), охотилась в его французских, швейцарских, немецких, далматских и других угодьях, ловила рыбу в его шотландских поместьях, отдыхала на вилле на Ривьере, устраивала приемы в Итон-Холле... Бывшая приютская воспитанница, Коко жила жизнью светского богача. Но наверняка ее ни на миг не оставляла мысль о том, чем все закончится.

При всей его демократичности Вендор не желал знаться с ее приятелями, ни с кем, кроме Веры, которая и сама принадлежала скорее к его обществу, чем к обществу Шанель и Миси, он практически не был знаком, а если и случалось пересечься, то не продлевал знакомства. Судя по всему, для герцога Вестминстерского все же Коко была отдельно от богемы Парижа. Презирал? Нет, возможно ничуть, просто не задумывался, что таковая существует или может представлять для него какую-то ценность. Вендор мог весьма по-дружески разговаривать со своим дворецким или слугой, почти приятельски общаться с егерями, он обеспечил работой своих однокашников, поручив одному заведовать охотничьими хозяйствами, другому отвечать за поместья, третьему за рыбалку, четвертому за яхты и так далее... Но это все была демократия по отношению к слугам. Слугам, что бы там ни говорилось! Даже вчерашние школьные друзья стояли на ступеньку ниже, если обслуживали герцога Вестминстерского, и его вины в этом никакой, нельзя все время быть на одном уровне с теми, кто тебе служит или на тебя работает. Можно возразить, мол, а как же Вера с Коко? Шанель не опускалась по социальной лестнице до Веры, напротив, поднималась к ней, а потому служба была больше похожа на оплачиваемую дружбу.

Вендор понимал, что Шанель нельзя лишать ее работы, да и она вовсе не была готова бросить все ради того, чтобы стать герцогиней. Или могла? Пожалуй, сама Коко не сумела бы ответить на этот вопрос. Вспоминая это время, Шанель говорила, что герцог был не свободен (он действительно долго и нудно разводился со второй супругой) и она сама тоже. Она-то почему? Коко имела в виду свою фирму. Перестать делать моду означало поставить себя в полную зависимость от Вендора. Конечно, у герцога Вестминстерского столько денег, что он и не заметил бы появления на шее столь непритязательной обузы, Коко могла спокойно сесть, свесив ножки.

Чтобы перестать заниматься своей любимой работой, нужно быть уверенной, что станет герцогиней, еще лучше, что родит Вендору того самого наследника, в котором он нуждался. Работа стала одним из камней преткновения. Рассказывая об этих годах Полю Морану, Шанель не раз упоминала, что Вендор в ее ателье просто сходил с ума. То есть он приезжал на рю Камбон и, несмотря на ее обещание сходить вместе куда-нибудь вечером, до вечера метался по ателье, словно раненый зверь.

Почему, что именно раздражало герцога? Вендор признавал достижения Коко, ее авторитет в мире моды, ее способность зарабатывать (хотя едва ли понимал, много или мало она зарабатывает, ему было все равно), но то, что она занята, пока ему самому нечего делать, похоже, приводило его в бешенство. Шанель как-то не акцентировала на этом внимание, но получается так. Сам Вендор жил в сумасшедшем ритме, несмотря на то что дел не имел никаких. Он был просто не в состоянии остановиться, постоянно должен куда-то ехать, мчаться, с кем-то общаться, словно боясь остаться в одиночестве.

Коко тоже не любила одиночество, но без работы тоже сидеть не могла. Она умудрялась разъезжать с герцогом по его замкам и поместьям, ездила на скачки, ловила рыбу, охотилась, танцевала, очень часто бывала в Лондоне, но продолжала создавать свои коллекции, правда, для этого приходилось напрягаться. Отставать от моды тоже нельзя, Шанель не могла позволить кому-то опередить себя. Тем более в ее коллекциях появились новые веяния, Коко отошла от русского стиля и увлеклась английским. Теперь она ходила в берете, похожем на головные уборы моряков Вендора, сделала дамские жакеты похожими на форменные у его слуг и еще ввела много всякой всячины. Едва ли Вендор это заметил, хотя разглядывал.

Герцог бывал на всех показах, которые устраивала Шанель дважды в год, но почему-то страшно нервничал. Позволил ей по своему вкусу оформить новое купленное владение — Роуз-Холл, помог даже устроить показы в Лондоне, предоставив собственные апартаменты. И все же Вендор был недоволен работой своей любовницы. Почему, все тот же подход, что и у Бальсана? Вполне вероятно, Шанель могла быть законодательницей мод, но только в форме диктата что и как носить. А вот создавать эти самые модели с ножницами и булавками в руках — едва ли достойно герцогини Вестминстерской.

А если бы она бросила свое ремесло? Возможно, все решилось бы в пользу свадьбы, только надолго ли?

Все решилось бы, забеременей Шанель. Если бы она смогла родить ребенка, наверное, и работу решилась бы бросить и герцог бы не раздумывал. Но как раз этого никак не удавалось. Шанель обратилась к врачам, те принялись за дело. Эдмонда Шарль-Ру утверждает, что Шанель даже перенесла операцию, подвергла себя не слишком приятным процедурам, вынесла все, но результат был плачевным.

Есть версия, что еще в молодости во времена то ли

Виши, то ли Мулена она сделала аборт, потому позже и был выкидыш ребенка от Боя.

Но даже если это не так, Коко все равно поздно рожать, выглядя моложе своих лет, она никак не желала признавать, что в сорок шесть лет больших надежд на материнство питать не стоит, тем более если раньше были проблемы. Так и случилось, не помогло ничего, желанной беременности не было.

Герцог Вестминстерский видимо любил ее по-настоящему, по-настоящему и добивался, заваливая подарками вовсе не только дорогостоящими, но и просто трогательными. Например, однажды принес охапку диких цветов, нарванных где-то в дальнем уголке поместья:

— Я знаю, тебе такие понравятся.

То и дело выдумывая что-то для Коко, Вендор ввел ее не просто в высший свет, а в его элиту, подружил со своими друзьями, представлял вовсе не как любовницу на время, а почти как свою супругу. В этот период сделано много фотографий, на них Коко с удивительно трогательным в своей шляпе на один бок толстым Черчиллем с неизменной сигарой во рту, на яхтах с приятелями Вендора, где они просто дурачатся, в Лохморе, в Стак-Лодже, где ловили рыбу, на приеме в Итоне... Коко везде хозяйка. На фото она достаточно часто рядом с Вендором...

Остается спросить: так почему же?..

Почему же сказка о Золушке не случилась? Если Коко и стала принцессой, то только своими силами. Неужели все дело в так и не родившемся наследнике?

Если Коко хотела стать герцогиней Вестминстерской, ей нужно было поторопиться в первые годы своего знакомства, когда страсть была сильна. Нельзя было упускать годы, Вендор был весьма любвеобилен, страсть не могла длиться вечно, да он и не бывал верен ни одной женщине. Начались банальные измены.

Похоже, Шанель стала чувствовать, что ситуация с Кейпелом повторяется, как и Бой, этот любовник пережил всплеск и готов отступить. Вендор легко ввел ее в круг своих друзей, но не желал общаться с ее приятелями, он терпел ее работу только по необходимости и постепенно начал отдаляться.

Шанель предприняла необычный шаг — она решила построить свой дом. Купить участок и по своему вкусу выстроить там то, что понравится и герцогу тоже. Были приобретены 5 акров земли со старым домом, и действительно выстроена вилла «Ла Пауза», а в глубине сада небольшой дом для Веры, которая вышла замуж за итальянского полковника Альберто Ломбарди. Казалось, Коко сделала все, чтобы заинтересовать ускользающего Вендора, — она выбрала место, рядом с которым часто отдыхал у друзей его приятель Уинстон Черчилль, создала условия, чтобы Вендор, по примеру Черчилля увлекшийся живописью, мог писать пейзажи (но если Черчилль делал это до конца жизни, то Бенни водить кистью по холсту быстро надоело), и от «Ла Паузы» совсем недалеко Монте-Карло, к порту которого была приписана его яхта «Летучее облако», в казино Монте-Карло Вендор обожал просаживать сумасшедшие деньги...

Много и по сей день говорится, что виллу купил герцог Вестминстерский своей любовнице Коко Шанель. Это не так. На купчей и на подряде на работы стоит подпись Шанель и 1 800 000 франков списаны с ее, а не с его счета. Она уже в состоянии купить в Рокбрюне на мысе Кап-Мартен с умопомрачительным видом на плещущееся внизу море участок и построить себе виллу по вкусу. Дом, где она была бы хозяйкой и могла устанавливать свои правила, а Вендор всего лишь был гостем.

Вилла, по общему мнению, удалась. Ее хвалили и Уинстон Черчилль, и принц Уэльский (будущий король Англии Эдуард), и Сальвадор Дали с его русской женой Галой...

Архитектор Штрейц действительно постарался воплотить в жизнь все задумки Мадемуазель, даже каменную лестницу, которую та пожелала сделать как... в монастыре Обазина. Штрейц не стал задавать лишних вопросов, просто съездил в Обазин и все измерил. Там помнили бывшую ученицу, весьма строптивую Габриэль Шанель, и ее двух куда более спокойных сестер. Хорошо, что Штрейц не из болтливых...

Когда все было построено и обставлено (снова согласно желаниям хозяйки), идеальную работу слуг быстро наладил опытный мажордом итальянец Уго.

Виллу хвалили не только ее гости, в американском журнале «Вог» появилось подробное описание дома Шанель, полное восторга. Журналист Беттина Баллард, рассказывавшая читательницам, как живет законодательница моды, стала подругой Шанель на долгие годы. В репортаже она с восторгом отмечала продуманность мелочей, например, то, что в ванных имеется второй вход для прислуги, чтобы та могла вымыть ванну и убрать вещи в стирку или чистку, не беспокоя гостей.

Казалось бы, вот оно гнездышко для счастья — прекрасная вилла, море под ногами, казино рядом, гости со всего света... Почему бы не жить все лето в свое удовольствие? Но... слуги, а часто и гости слышали ссоры между хозяйкой и герцогом Вестминстерским. Что произошло?

Похоже, Вендор снова начал волочиться за женщинами, и Коко все чаще ждала его дома, в то время как герцог ухлестывал за кем-нибудь в Монте-Карло. Получалось, что, чтобы он был верен, надо следовать за Вендором всегда и всюду? Бой Кейпел тоже изменял, и Коко об этом знала, но относилась, по ее словам, спокойно, даже сама просила рассказать, с кем он спит. Можно возразить, что едва ли спокойно, просто она ничем не могла остановить Боя.

А Вендора? Тоже не могла. Она не могла ничего: ни родить сына (бесплодие), ни выйти за него замуж (он не звал), ни даже закатить сцену ревности (с какой стати?). Хотя сцены все же закатывала. Вендору, конечно, не нравилось, он все реже бывал на вилле.

И все же герцог чувствовал свою вину, всякий раз,

нашкодив, пытался искупить провинность дорогим подарком. Но таких даров Шанель не принимала. Хорошо известен случай, когда Вендор на борту яхты преподнес ей в знак примирения (поутру после ночного отсутствия) большой изумруд. Коко спокойно открыла коробочку, так же спокойно швырнула камень в море и вернула упаковку Вендору. В следующий раз за борт отправилось дорогое жемчужное ожерелье.

Подарки не могли искупить потерю доверия и возродить былую страсть, как бы хорошо Шанель ни выглядела, ей было сорок шесть — возраст для дамы критический.

Делал ли герцог ей предложение в действительности? Честно говоря, едва ли. Мочь сделать и действительно сделать не одно и то же. Каким бы ни был своенравным и нарушающим правила Вендор, он мог себе позволить любить Шанель, одаривать ее, знакомить с друзьями, но делать герцогиней собирался едва ли.

Но Вендор сделал все, чтобы разрыв с Шанель не оскорблял ее чувств. Прекрасно понимая, сколь внимательно приглядываются и прислушиваются к их роману сотни любопытных, герцог, когда Шанель стала приглашать на виллу своих прежних приятелей из богемного круга Парижа, принялся со вздохом разводить руками:

— Коко совсем сошла с ума! Она связалась с кьюре...

«Кьюре» Вендор называл поэта Реверди, к которому Шанель действительно была неравнодушна и который жил в монастыре. Реверди был женат и нищ, так что никакой угрозы для герцога не представлял, но такие слова Вендора у всех создавали впечатление, что Коко сама бросила герцога и тому ничего не оставалось, как завести себе новую пассию.

Вендор непременно приходил к Шанель всякий раз, как бывал в Париже, звонил ей и присылал всякие подарки, теперь уже не драгоценные булыжники, но огромные букеты цветов и фрукты непременно. Это помогало ей спасти репутацию, потому что несостоявшийся супруг и впрямь быстренько нашел к кому посвататься. Он решил жениться на дочери барона Сисонби Лоэлии Мэри Понсонби. Лоэлия была прекрасной партией, ее отец был помощником секретаря королевы Виктории, затем Эдуарда VII, а затем заведовал расходами, выделяемыми на личные нужды Георга V.

Но ей пришлось нелегко, Вендор вовсе не был так добродушен, как казался всем его знавшим, либо просто не задумывался, каково рядом с ним тем, кто от него зависит. Он не нашел ничего лучше, как... привести свою избранницу к Шанель, чтобы та одобрила или отвергла его выбор! Вот интересно, а что было бы, если бы Шанель отвергла?

Лоэлия в своих воспоминаниях жаловалась, что ее усадили на пуф рядом с сидевшей в кресле Коко, пришлось заглядывать в лицо почти снизу вверх. Бывшая любовница произвела на будущую супругу Вендора сильное впечатление, но сватовство это не разрушило.

И все же супруге Вендора пришлось нелегко, к ее сожалению, бедолага страдала морской болезнью, она сокрушалась, что, будучи совладелицей двух роскошных яхт, не имела на них и минуты покоя. Разве это могло понравиться Вендору? О, где его Коко, которая радовалась бурям и качке не меньше него самого?! Через два дня после свадьбы он явился к Шанель пожаловаться на свою незадавшуюся семейную жизнь.

Впервые за несколько лет Коко расплакалась.... Но изменить уже было ничего нельзя, не затевать же третий развод сразу после женитьбы.

Они остались в приятельских отношениях. У Шанель даже код в разведке Вестминстер, не она ли сама его выбрала в честь несостоявшегося замужества?

Герцог и кутюрье пошли каждый своим путем: он продолжал мотаться по свету, не находя себе покоя, а она с новыми силами и рвением принялась за работу. Работа — единственное, что у нее оставалось.

Правда, впереди еще были романы, но не стоило забывать, что Мадемуазель было уже сорок семь, в таком возрасте редко выходят замуж в первый раз.

КАК БАСК ИРИБ СТАЛ НАСТОЯЩИМ ПАРИЖАНИНОМ, А ШАНЕЛЬ АНТИСЕМИТКОЙ

Любовь зла... Эту истину человечество подтверждает со времени своего появления на Земле и будет подтверждать, пока будет существовать. Влюбиться в того, кто совсем недавно был в стане твоего врага... А почему бы и нет, ведь «враг» — Поль Пуаре — давно сошел с дистанции, а его «пособник» — Поль Ириб — личность весьма симпатичная.

Поль Ириб, пожалуй, единственный, за кого Шанель собиралась замуж «по-настоящему», то есть официально, даже объявив об этом, пусть и в узком кругу. Даже Мися не могла остановить такой порыв.

Ирибу Коко поручила ведение своих дел в фирме «Духи Шанель», что для нее было высшим признаком серьезных намерений.

Выговорить полное имя баска — Поль Ирибарнегарай — никому не удавалось с первой попытки, потому сократили, Поль стал Ирибом, к чему отнесся с заметным удовольствием. Ирибу очень хотелось быть «настоящим парижанином», однако, как ни старался, акцент выдавал происхождение.

Его отец Жюль Ириб был личностью не менее примечательной, чем Поль. Сын церковного певчего, Жюль сумел получить образование и стать инженером. Но мятежный дух не позволял просто заниматься расчетами, его влекла активная деятельность на публике. Жюль Ириб стал редактором влиятельной газеты «Тан», активно выступавшей против монархии. Во времена Коммуны Жюль Ириб руководил низвержением Вандомской колонны, поставленной в честь побед Наполеона, получив немалый гонорар за столь своеобразную работу.

В это время у Жюля была весьма примечательная любовница — актриса Мари Манье, подходившая к мужчинам с определенной меркой. Еще в детстве она завела копилочку и откладывала туда монетки, чтобы... купить себе мужчину, когда вырастет. Не купила, пристрастилась к рулетке и все деньги, сэкономленные на конфетах, спустила на зеленом сукне, хотя мужчин у нее хватало и без этих средств.

Времена Коммуны закончились, во избежание грядущих неприятностей Жюль Ириб поспешил унести ноги к родственникам в деревню в Испании. Там встретил юную красавицу Марию Терезу Санчес де ла Кампа, родившую ему детей. Родителям на месте не сиделось, а потому Поля Ириба (третьего ребенка в семье) отдали в монастырскую школу. Жюль Ириб не торопился оформить свои отношения с его матерью, потому официально Поль был безотцовщиной. Вам это ничего не напоминает? Отец, которому не сидится на месте, мать, вынужденная мотаться следом, незаконнорожденные дети, монастырская школа...

Но, в отличие от Шанель, Поль отца знал, хотя и был на него в обиде, и знал, где будет добиваться успеха. Они с Коко одногодки, но когда та еще сидела в Обазине, Ириб уже приехал покорять Париж. Он умудрился принять участие во Всемирной выставке 1900 года в Париже и, будучи самым молодым архитектором, удостоился похвалы принца Уэльского, будущего Эдуарда VII, за макет театрального здания. Не простивший отца юный талант даже не сообщил родителю о своем успехе.

Но больше на архитектурном поприще Поль Ириб блистать не спешил, его, как и отца, влекла газетная деятельность. Он основал газету «Свидетель», где размещал свои карикатуры и где сотрудничал Жан Кокто под псевдонимом Джим.

В 1909 году царивший тогда в моде Парижа Поль Пуаре заказал талантливому художнику рисунки своих нарядов для рекламного альбома. Альбом издавался практически вручную, во всяком случае, рисунки раскрашивались именно так. Пусть делалось это по трафарету, но все же разрисовать 2500 экземпляров — работа немалая. Альбом «Платья Поля Пуаре глазами Поля Ириба». Это были рисунки тысяча второй ночи, султанши из Шехерезады, столь модной после спектакля, привезенного в Париж Дягилевым. Интересно, что рисунки не целиком в цвете, цветные только платья (или намеки на них) на дамах, остальное только черной линией. Это позволило выделить сами фасоны.

Дамы на рисунках далеко не всегда одеты полностью, часто они полуобнажены. Часть альбомов, выпущенную на отличной бумаге и раскрашенную уже не по трафарету, а особо тщательно, отправили в подарок элите светского общества, в том числе нескольким королевам. Большинство промолчало, сделав вид, что ничего не получали, а из Лондона альбом вернули с просьбой такого больше не присылать.

Поль Пуаре был доволен, ведь хороший скандал всегда реклама. Кроме того, Поль Ириб создал для Пуаре его фирменный знак — розу, принесшую кутюрье немало дивидендов. Разве могла с таким мэтром соперничать какая-то там швея из Мулена? Поль Пуаре на свою беду не воспринял Шанель всерьез.

А Поль Ириб рядом с неугомонным Жаном Кокто, перевоспитать которого его мать уже просто отчаялась, чувствовал себя уже совсем парижанином. Правда, было время, когда Ириба с приятелями практически не пускали на порог приличных домов. Нет, они не оскорбили нравственность хозяев и не совершили преступления. Просто Жан Кокто основал нечто вроде Лиги защиты изящного вкуса, в которую вступил и его друг Ириб. Если бы члены Лиги просто порицали мещанский вкус либо разъясняли преимущество хорошего, их бы терпели. Но каждый был обязан просто... уничтожить безделушки, оскорбляющие его художественный вкус! Долго такая вакханалия продолжаться не могла, парижским мещанам их безделушки дороги как память, потому приятелей просто перестали приглашать в гости. Пришлось Лигу распустить...

Ириб одним из первых понял не только важность рекламы, но и то, что на ней можно заработать немало денег. Первым его плакатом на этом поприще была реклама аперитива Дюбонне. А вот слоган следующего нам хорошо знаком, его используют сейчас, «забыв», что автор Поль Ириб: он утверждал, что «пятновыводитель Кола выведет пятна даже у леопарда!».

Поль был в Париже уже весьма популярен, когда Шанель еще только делала свои первые шаги под руководством Боя Кейпела. Она с удовольствием хохотала вместе с Кейпелом над карикатурами Ириба, с интересом следила за его публикациями, но не больше. Поль Ириб для Шанель не существовал, у нее был Бой. Как и Шанель для Ириба.

Незадолго до Первой мировой войны он женился на Жанне Дирис, весьма успешной актрисе. Супружеская пара получилась весьма странная, потому что Поль беззастенчиво использовал Жанну в своих целях, когда не хватало денег (а их Ирибу не хватало всегда), Жанна позировала фотографам, иногда и обнаженной. На одной из фотографий, рекламировавших автомобиль, Жанна в шляпке, изготовленной в мастерской на рю Камбон... Да-да, той самой, где заправляла Коко. Но это вовсе не означало дружбы между женщинами и даже близкого знакомства, они еще вращались в разных кругах.

Поль занимался оформлением интерьеров для богачей и даже созданием мебели в стиле барокко. Дела шли сначала неплохо, но капризная парижская богема быстро изменила стилю Ириба, и магазинчик, в котором он продавал свои изделия и мебель, быстро пошел ко дну. Вместе с коммерцией туда же отправился и брак. Но Поль долго не тосковал, он нашел Жанне замену в лице знаменитой писательницы Колетт.

Но грянула Первая мировая война

Ириб входил в компанию Миси еще во время Первой мировой войны, он участвовал в ее «санитарном поезде». Когда началась война, мало кто из золотой молодежи Парижа воспринял все всерьез, но уж очень хотелось сделать что-нибудь этакое...

Придумала Мися, решившая организовать доставку медицинской помощи на передовую. Чтобы было на чем, она убедила магазины готового платья одолжить на некоторое время машины, все равно ведь доставлять нечего, посадила за руль своих приятелей — Жана Кокто, Ириба, еще несколько таких же беспокойных и своего Серта, разодев тех в пух и прах (костюм медбрата для Жана Кокто создал лично Поль Пуаре). Было весело и забавно, словно это новый аттракцион. Впереди разудалой колонны из 14 машин ехал «Мерседес» самой Миси.

Веселье закончилось, как только увидели первых раненых и убитых. Едва ли можно смеяться, обнаружив, что взрывом людей разметало по частям и предстоит оказывать помощь тем, у кого оторвало не просто руку или ногу, но и вытек глаз или вывалились внутренности из живота. С Мисей, которая вообще-то славилась железными нервами, случился истерический припадок. Война оказалась не спектаклем, а страшной реальностью. Кстати, во время Второй мировой войны Мися сидела в своем гнездышке тихо-тихо и в воспоминаниях ничегошеньки не написала о переживаниях тех лет. Возможно, еще и потому, что была польской еврейкой в Париже, где шли антисионистские чистки.

Они набрались духа и целых три месяца исправно возили на фронт лекарства. А обратно раненых, заливая кровью свои и чужие машины. Через три месяца начал свою работу Красный Крест, большинство «шоферов» пересели на его машины, но бодрости духа не потеряли.

Вернувшись с передовой, повидавшие вблизи смерть молодые люди с удовольствием окунулись в мирную жизнь Парижа, но затеянная Мисей благотворительная акция сдружила их по-настоящему. Особенно Жана Кокто и Ириба. Но Ириб почти сразу уехал за океан — создавать костюмы для киностудии «Парамаунт», он стал главным художником студии. Казалось, звезда Ириба начала стремительно восходить, особенно когда он, разведясь со страдавшей какой-то неизлечимой болезнью Жанной, женился в Америке на весьма состоятельной Мейбл Хоган. Семья Хоган была очарована Полем, его парижскими манерами, уверенностью баска в своем будущем, сама Мейбл влюблена. У них родился сын Пабло...

В Голливуде Ириба познакомили с Сесилем Де Миллем. Они сразу подружились, Милль уловил в Поле нечто и поручил ему создание декораций и костюмов к нескольким фильмам. Первый фильм получился очень удачным, и Ириб немедленно был возведен в ранг художественного директора с правом распоряжаться многими художниками и декораторами.

Однако оказалось, что придумывать костюмы самому — одно, а руководить работой многих куда более опытных людей — совсем другое. Руководить Ириб не умел совсем, подопечные стали жаловаться Миллю. Но это мало волновало художественного директора, а продюсер шел ему навстречу. Стычки и возмущение костюмеров и художников становились все более частыми и ожесточенными, нашлись даже те, кто был готов уйти от Милля, только бы не подчиняться Ирибу. Некоторые из них, такие как Митчелл Лейзен, имели уже огромный опыт работы и для Милля были бесценны, но это ничуть не волновало Ириба, он легко мог поскандалить с любым. Творческие конфликты перерастали в человеческие...

В конце концов, Лейзен просто отказался работать с Полем. Чтобы отвлечь Ириба, Милль предложил ему самому снять фильм «Переменчивые мужья». Фильм с треском провалился, режиссер из Ириба не получился, все же его дело — создавать красивые вещи либо рисовать, пусть даже карикатуры.

Осознать это его заставил последний скандал на студии. Милль начал работу над грандиозным фильмом «Царь царей», Ириб по-прежнему оставался художественным директором, и Лейзен находился у него в подчинении. Мысливший масштабно, Ириб не желал вникать в «мелочи», в результате одна из самых важных сцен фильма едва не оказалась сорвана. Ириб забыл организовать грозу в сцене распятия, и вообще вся сцена пущена на самотек, не продумано даже то, как актер, исполняющий роль Христа, будет держаться на кресте! К съемкам этой сцены готовились все и достаточно долго, оператор тщательно планировал наезд и отъезд камеры, Гарри Уорнер ни с кем с утра не обмолвился и словом, чтобы не выйти из образа Христа, гримеры и те работали над его гримом молча... Все сосредоточены — и вдруг выяснилось, что со стороны Ириба ничего не готово!

Реакция Милля была мгновенной: Ириба уволили в ту же минуту с наказом больше в окрестностях Голливуда не появляться!

Он не слишком расстроился, это не его работа, делать что-то по чужим указаниям для Поля слишком тяжело и неприятно. Семью ждал переезд в Париж.

Супруга душевные страдания Ириба оценила и, чтобы тот не переживал слишком сильно, купила ему в Париже магазин. Поль смог вернуться к своему любимому делу, он занялся предметами интерьера и начал оформлять дома богатых заказчиков. Вернее, заказчиц.

Из-за диабета Поль был довольно полным, но при этом весьма общительным и умеющим ухаживать человеком. Заказчицам такой декоратор очень нравился. Понимала ли Мейбл, что, задерживаясь слишком надолго в спальне, которую он оформляет, Ириб занимается там не только эскизами? Конечно, понимала, но терпела.

Ее можно пожалеть, потому что заработки у мужа были непостоянными, хотя иногда весьма неплохими. Он то зарабатывал огромные суммы и покупал дом, роскошную машину и даже яхту, то подолгу сидел без средств, тогда и машина, и яхта, и дом продавались... Мейбл терпела и старалась раздобыть ему новые заказы. Но наступил момент, когда и ее терпению пришел конец, Мейбл забрала детей (их было уже двое) и отбыла за океан.

Поль не особенно расстроился (заметил ли он вообще отсутствие супруги с детьми?). У Ириба уже была новая любовь — Шанель. Коко говорила, что между ними была страсть, и сама же добавляла, что это состояние ненавидит. Когда страсть вспыхнула? В 1933-м им обоим было по пятьдесят. Шанель, как и Ириб, успела съездить в Америку и поработать в Голливуде по приглашению Сэма Голдвина. С Сэмом ее познакомил все тот же великий князь Дмитрий, поистине неисчерпаемый источник полезных связей.

Голдвин в противовес Великой депрессии решил снимать красивое кино, на которое женщины ходили бы не только ради знаменитых актрис и актеров, но и ради нарядов Шанель! Коко предложили немыслимо щедрый гонорар — миллион долларов за создание двух коллекций для актрис Голливуда в год!

Шанель не сразу, но согласилась. То, что ее пришлось уламывать при столь большом гонораре, несказанно удивило Сэмюэля Голдвина. Позже оказалось, что Шанель была права, предвидев трудности работы. Но если у Ириба все уперлось в его собственное неумение работать в команде и работать ответственно, то у Коко проблема оказалась в другом. Как она и предвидела, актрисы, согласившись играть в платьях от знаменитой кутюрье, категорически отказывались выполнять другое требование Голдвина — вообще надевать только ее модели.

Честно говоря, это было не нужно и самой Шанель, ведь одно дело создать стиль и шить на дорогих заказчиц, все же предлагая им свои модели. Если не нравилось, они могли отправиться к Скьяпарелли или Лавену, к Лелону или еще кому-то... В Голливуде обязанность одеваться всем у одной Шанель могла привести только к ссорам и обидам либо к необходимости создавать новые модели десятками в надежде угодить каждой (хотя и в таком случае обид не избежать, потому что чужой наряд всегда мог показаться интересней и элегантней).

Ничего действительно не вышло, то есть были созданы платья для двух фильмов, несколько нарядов для отдельных актрис, и на том работа с Голливудом по обоюдному согласию закончена.

Зато Шанель познакомилась с Америкой, а Америка — с Шанель. Америка произвела на нее неизгладимое впечатление, хотя далеко не всегда приятное. И многому научила. Ириб еще до поездки советовал ей обратить внимание на массовое производство. Массовое производство для кутюрье ее класса?! Это звучало просто оскорбительно, но у Коко хватило ума прислушаться.

Ириб был прав, ее модели только в ателье подгонялись под фигуру заказчицы, но в принципе могли быть сшиты на любую. Это означало, что их можно изготавливать вообще по определенным меркам, а самим женщинам подгонять под себя или не подгонять, если все совпадало.

Коко никогда не была против, чтобы ее идеи копировали, а услышав, что за углом продают костюм «совсем как у Шанель», но в несколько раз дешевле, даже отправляла купить, чтобы посмотреть, как это выглядит. Она считала, что копируют только удачное.

В Америке копировали без зазрения совести, и копии были весьма невысокого качества. Почему бы не последовать совету Ириба и не предоставить свои придумки прямо массовым производителям одежды? Пусть штампуют для тех, кто не может себе позволить прилететь в Париж и прийти на рю Камбон в ее ателье. Да, с каждой модели она будет получать всего по чуть-чуть, но ей не придется ничего вкладывать, а главное, платьев и костюмов будет так много, что один пенс превратится во много-много долларов.

Мадемуазель умела считать...

Но работа не могла полностью поглотить все время Шанель, она дневала и ночевала в своем ателье, только когда предстояли показы, в другие дни свободного времени оставалось слишком много.

Уже не было в живых Дягилева (он умер в 1929 году от диабета, и Коко с Мисей хоронили Сержа за свой счет), вышла замуж и окончательно занялась своей семьей Адриенна, был женат и тоже занят своими делами племянник Андре (его старшую дочь Габриэль крестил Вендор), Серт сменил Мисю на новую любовь Русию, но сочувствовать Мисе Шанель вовсе не хотелось, тем более что неистовая Мися принялась так опекать бывшего мужа с его новой женой, что те не знали, куда им деваться... Все были заняты своими делами и своими проблемами.

И Коко просто не знала, чем бы ей самой заняться, кроме создания новых коллекций. Она много кому помогала, продолжала поддерживать Стравинских, помогала Сержу Лифарю, взявшему на себя основную труппу балета после смерти Дягилева, без конца оплачивала лечение в клинике Жана Кокто, злоупотреблявшего наркотиками, предоставляла возможность пожить на вилле очередному страдальцу, у которого закончились деньги...

Но это все не позволяло растратить огромную энергию Шанель, к тому же ей было очень одиноко. Бывают женщины, которым обязательно нужен мужчина рядом, даже если этого мужчину приходится кормить, поить, одевать да еще и утешать. Коко был нужен мужчина, а деньги на содержание имелись.

В ее жизни уже был Бой, который сам помог Шанель встать на ноги, был великий князь Дмитрий, за которого приходилось платить всюду (он женился на состоятельной американке и отбыл за океан), был герцог Вестминстерский, который сам мог содержать хоть сотню Шанелей...

Коко с радостью вышла бы замуж за Кейпела, но Бой не мог себе позволить такую роскошь, как жена без родословной. Она могла бы стать женой князя Дмитрия, несмотря на разницу в возрасте не в ее пользу, но Дмитрий, во всяком случае, при ней, был откровенным альфонсом, не желавшим ничего делать, в отличие от своей деятельной сестры Марии. Жить с тем, кто сам не прилагает никаких усилий, чтобы выплыть? Нет, человек должен быть чем-то занят, даже если у него нет денег! К тому же Дмитрий был русским, а потому имел несколько другой менталитет, подходящий скорее американке, чем француженке.

У Вендора тоже не было дел, но тот всегда был чем-то занят и умер бы со скуки, доведись ему просидеть спокойно пару дней. Впервые с ней рядом оказался человек, за которого не приходилось платить и который мог ввести ее в самые высшие круги общества. Но Коко была вынуждена признать, что интересов самого Вендора ей... мало! Охота, рыбалка, скачки, прогулки на яхте, приемы... Все это прекрасно, но, в конце концов, надоедает. Это развлечение, а где дело? Крестьянская основа Шанель требовала, чтобы человек занимался и делом тоже.

Занимаясь рыбной ловлей, она норовила наловить побольше. Казалось бы, зачем, можно же просто получать удовольствие! И во всем остальном так же. Но для деятельной Шанель все время просто получать удовольствие было невыносимо. Расставшись с герцогом Вестминстерским, она постепенно начала осознавать, что как бы он ни был хорош, смел, беспокоен, щедр, ему явно недоставало ума. Вернее, ум был, но направленный только на свои удовольствия. Скучно....

Возможно, немного погодя она осознала бы это, став герцогиней Вестминстерской. Так, может, и хорошо, что не стала?

Так что же за человек был нужен ей самой?

Если бы Шанель пришло в голову описать такого, то она должна была бы объединить Кейпела, Вендора, Дмитрия и еще добавить черты нескольких знакомых, например, Серта, Дягилева... Но рядом никого подобного не находилось. Ох и трудно самостоятельной женщине!

Вот в такое время, когда Коко была на перепутье и одинока, у них и случился сначала деловой, а потом переросший в настоящий роман с Полем Ирибом.

Она заказала Ирибу эскизы украшений для своей коллекции, потом они вместе сделали выставку... драгоценностей. Как такое могло быть — Шанель и бриллианты? Она же всегда пропагандировала бижутерию, заявляя, что бриллианты нужно хранить в сейфе и доставать по вечерам, чтобы полюбоваться, а носить бижутерию.

И все же это была выставка бриллиантов в белом золоте. Ни единого цветного камня, все только белое. Выставка имела сумасшедший успех, хотя экспонаты не продавались. Зато Шанель могла порадоваться — ее изделия копировались в несметных вариантах. Копировать было что, главная идея самой Коко — не камни, а возможность собирать и разбирать изделия, как конструктор. Например, колье легко разбиралось на несколько легких браслетов, подвески можно было носить вместо сережек, а серьги, наоборот, превращались в кулон...

Выставка была благотворительной, Шанель на ней ничего не заработала, кроме имени, а вот акции компании «De Beers» взлетели на двадцать пунктов.

Для нас важно, что на переговоры по поводу провоза драгоценностей выставки в Лондон для демонстрации их там был отправлен Поль Ириб, то есть Шанель уже поручила ему солидное дело. Переговоры с чиновниками не удались, хотя весь сбор от выставки должен был поступить в фонд королевы Марии, таможня предпочла не допустить поступлений в фонд, только чтобы не терять своих денег. В результате ни фонд, ни таможня не получили ничего.

Вера Ломбарди на этом поприще тоже ничего не добилась.

Но Шанель уже ощутила вкус нового романа. Рядом с ней оказался человек ее круга, который прекрасно разбирался в том, что интересовало ее саму, для которого не имело значение ее происхождение, чья судьба отчасти напоминала ее собственную.

Пусть у него не было столько денег и возможностей, как у герцога Вестминстерского, но он не был нищ и умел зарабатывать сам.

У него не было родословной, как у князя Дмитрия или Вендора, но он не требовал таковой и от Шанель.

Ему было пятьдесят, как и ей, и ему не был нужен наследник.

Правда, Поль Ириб все еще был женат, но это поправимо. Ириб действительно тут же затеял развод, который, несмотря на согласие Мэйбл, из-за разности в законодательствах двух стран затянулся надолго.

Мися твердила, что Шанель влюбилась, причем впервые. Тут она, конечно, не права. Но Мисе, видно, уж очень не хотелось вспоминать Боя Кейпела, который не позволял Коко дружить с Сертами. В ужасе были многие, например, писательница Колетт, одно время также имевшая роман с Ирибом, но Шанель наплевать. У нее появился человек, с которым можно прожить остаток жизни, который будет помогать и не станет требовать мотаться по свету, охотясь на кабанов или лососей, с которым есть о чем поговорить в конце концов.

А все вокруг стали замечать, как на глазах меняется Шанель. Нет, она не стала мягче или женственней, не забросила свое дело, напротив, работала больше прежнего и была резка. Но сначала Коко вдруг отказалась от своей огромной квартиры, уволила много лет работавшего у нее Жозефа и всю остальную прислугу, до минимума сократила свои траты и, кажется, собралась продавать виллу! А сама переехала в скромный пансионат на окраине.

Разорилась?!

Ничуть не бывало, дела по-прежнему шли прекрасно. Просто Шанель слишком буквально приняла призывы Ириба к экономии и укоры в излишних тратах.

Это яркий пример того, насколько сильно Коко попала под влияние Поля, и того, как она была неразвита политически и социально, то есть в ее голову можно было вбить любую бредовую идею. Так и получилось.

Ириб успел не допустить продажи виллы «Ла Пауза» (Шанель продала виллу после войны в 1953 году издателю Ривзу, на вилле еще не раз отдыхал и дописывал свои книги Черчилль, совсем недавно «Ла Пауза» снова была выставлена на продажу именно с упоминанием Шанель и Черчилля, продана ли — не знаю). Полю очень нравился комфорт виллы, Ириб с удовольствием поселился на «Ла Паузе», правда, итальянец Уго с остальными слугами все же получили расчет, а в случае необходимости просто приглашались приходящие работники. У Шанель была своя горничная Жермен Доменжи, этого ей хватало.

Но ездить из Парижа в «Ла Паузу» ежедневно просто невозможно, от квартиры Коко отказалась, пришлось переезжать в отель «Ритц», что находился совсем рядом с ее ателье, окна бокового крыла отеля выходили на рю Камбон. В этом крыле во время войны она будет снимать номер с двумя маленькими комнатками.

А тогда Шанель поселилась в апартаментах с видом на Вандомскую площадь. Ириб составил ей компанию.

Чем он занимался? По-прежнему создавал предметы интерьера, рисовал едкие карикатуры, выдумывал рекламные слоганы и рисунки... А еще снова издавал журнал «Ле Темуен», причем на деньги фирмы «Духи Шанель». Почему на это пошли Вертхаймеры, неизвестно, тем более, Шанель поручила отстаивать свои права в фирме именно Ирибу, что тот делал без особого успеха. Возможно, именно для его успокоения и дали денег на журнал, пусть уж лучше карикатуры рисует, чем в судах права Шанель отстаивать.

Журнал (скорее, это была газета) имел резкий националистический уклон.

Дело в том, что родившийся в провинции Ириб мечтал стать настоящим парижанином, но ему никак не удавалось избавиться от акцента, стоило открыть рот, как любой мог сказать, что он испанец. А еще ему хотелось стать французом на 102 процента, хотелось, чтобы все забыли, что он «понаехал», как сейчас говорят.

Лучшая защита — это нападение. Поль Ириб нападал даже тогда, когда от него не защищались. Франция на краю гибели, нынешнее правительство ее погубит, а уж соседи тем более! И в «Темуене» появляются рисунки, на которых в образе гибнущей Франции легко узнать Коко Шанель. Рисунки довольно грубые, Франция на них то на кресте с обнаженной грудью, то в могиле, где ее засыпают землей, то на судилище, устроенном Рузвельтом, Чемберленом, Гитлером и Муссолини...

Как отнеслась к таким своим «похоронам» Шанель? Удивительно, но с одобрением, ее тронуло, что Поль изобразил именно ее в облике Марианны-Франции. Зато остальные были возмущены, Поль слишком откровенно вовлекал Шанель в политику. Но ей самой нравилось то, что делал Ириб, нравился возрожденный «Темуен», нравились рисунки Поля, резкость его суждений. Всем казалось, что она нашла художника, в котором патриотизм удачно сочетается с рационализмом, с коммерческой жилкой, вон как ему удаются рекламные плакаты...

Коко не замечала, что Ириб не удержался на тонкой грани язвительности и оскорблений, критики и зловредного шовинизма, патриотизма и махрового национализма. Полю Морану Шанель позже говорила, что Ириб самый непростой человек из всех ее знакомых. Как же далек был этот человек от герцога Вестминстерского, как отличны его идеи от всего, что слышала Коко прежде, и как легко она попала под влияние Ириба!

Сам того не замечая, Поль Ириб легко скатился на позиции махрового шовинизма и национализма. Он легко играл словами и слоганами, сказывался заокеанский опыт рекламы. Одна фраза «В то время, когда все флаги пытаются быть одноцветными, а мнения — единодушными, хорошо любить три цвета» чего стоила.

«Франция — французам!»

Что это еще значило, кто посягал на национальную целостность Франции, тогда ведь не было толп мигрантов со всех сторон?

Они нашлись. Из Германии, где к власти пришли нацисты и начались самые разные чистки, во Францию перебралось немало политических мигрантов, прежде всего евреев. Чем не предмет для обвинений?

А Шанель обижена своими евреями — Вертхаймерами, которые хоть и французские, но ведь евреи же! И она начала войну против партнеров, войну, которая продлилась четырнадцать лет и закончилась подписанием нового договора, сделавшего ее богатой, в 1947 году.

Много лет, практически сразу после начала работы с Вертхаймерами, Шанель чувствовала себя обиженной партнерами, и никто, никакие адвокаты не могли доказать, что все происходит согласно договору. С этим как раз Шанель была согласна, но сам договор считала грабительским. А потому, когда Ириб подсказал ей, что во всем виноваты евреи Вертхаймеры, легко согласилась.

Удивительно, антисемитские высказывания потоком лились из уст женщины, у которой среди друзей было множество евреев. Почему она не задумывалась, что этим оскорбляет и их тоже? Правда, единственные евреи, которые могли бы пожаловаться на какое-то противодействие Мадемуазель — Вертхаймеры. Причем и они едва ли относили «военные действия» Шанель к антисемитизму, скорее это был прагматизм.

Сама Коко то заявляла, что своего доктора-еврея любит больше, чем всех родных вместе взятых, то следом за Ирибом повторяла, что они-то во всем и виноваты!

«Я предпочитаю моих друзей-евреев многим христианам из братства святого Кретина. Есть великие евреи, в основном настоящие иудеи, и есть жиды. А сейчас осталась одна шваль».

Мадемуазель, как всегда, резка, но ее не исправить.

Откуда во Франции такой антисемитизм? Не стоит забывать, что для идей не нужны визы, им не страшна таможня, они легко проникают через границы... А в соседней Германии уже вовсю свирепствовала коричневая чума...

Франция сошла с ума. Франция определенно сошла с ума, причем в полном составе!

6 февраля 1934 года на площадь Согласия выплеснулась сорокатысячная демонстрация, протестовали парижане всех сословий, но Шанель так и не поняла, кто же

выступал против кого. Казалось, что все против всех. Протестующие попытались пробиться к президентскому дворцу, но этого не позволили сделать отряды конной полиции. Один из немногих жандармов, которые не испугались многотысячной толпы, полковник Симон отдал приказ к атаке, изгнание президента из Елисейского дворца и провозглашение временного правительства не состоялись.

На площади и близлежащих улицах остались трупы, тяжелораненых забрали в больницы, легко раненные разбрелись зализывать раны сами. Это было еще только самое начало. Францию еще будут сотрясать волны демонстраций и забастовок, во время одной из них будут бастовать даже работницы ее ателье, чего сама Шанель не могла бы увидеть и в страшном сне.

На следующее утро парижские газеты захлебнулись в страшных оценках и обвинениях. Официальное число погибших — двадцать человек, но каждое издание называло свое, причем с каждым часом все большее число. Все снова обвиняли всех. Если бы обыватель по статьям попытался понять, что же происходило и чего добивались демонстранты, то совершенно потерял бы голову.

Социалисты обвиняли правых в попытке свергнуть демократию, правые, наоборот, заявляли, что ветераны пытались противостоять диктатуре левых. Коммунисты заявили, что рабочие выступали против нацизма, а монархисты объявили врагами всех сразу: коммунистов, социалистов, радикалов, республиканцев, евреев и масонов!

Шанель, которая всего за день до этого показала свою коллекцию и совсем недавно выступала со статьей в защиту индустрии моды, доказывая, что новыми коллекциями дает работу множеству мужчин и женщин на швейных, ткацких, трикотажных фабриках, не говоря уже о множестве швей, продавцов, представителей торговых и транспортных фирм, глядя на весь этот ужас и слушая взаимные обвинения политиков самых разных уровней, решила, что с нее хватит. До следующей коллекции вполне можно пересидеть в «Ла Паузе».

Удивительно, но страстный обличитель Поль Ириб был с ней согласен, ему тоже куда больше нравились удобства виллы, чем неурядицы Парижа. И его мало волновало, что в руках у демонстрантов были те самые лозунги вроде «Франция — французам!», которые он недавно выдвинул. Он же не ради демонстрации все это печатал, а ради красного словца, и саму Шанель в облике Марианны-Франции рисовал тоже ради продажи «Темуена».

Нет-нет, отвечать за практическое использование своих лозунгов и призывов он не собирался! Пусть уж себе все эти социалисты, коммунисты, радикалы, евреи и прочие разбираются между собой сами.

Антисемитские лозунги Поля Ириба, а с ним и Шанель тоже повисли в воздухе, оказалось, что к самим евреям, как таковым, она ничего не имеет. Разве что к тем, кто обидел лично ее... Но таковых немало и среди французов тоже, не объявлять же войну собственным родственникам из Оверни, которые обрекли на сиротство в обазинском приюте.

А вот здесь Поль Ириб, видно, почувствовал нечто, чем мог зацепить Коко на веки вечные...

Сама Шанель сознавалась, что они любили друг друга страстно, ей это не нравилось, но поделать с собой ничего не могла. Но Коко сознавала и другое: «Ириб любил меня, но за то, в чем не признавался ни себе, ни мне — он любил с тайной надеждой уничтожить меня. Он мечтал раздавить, унизить меня, он желал мне смерти. Он был бы на седьмом небе от счастья, если бы я целиком принадлежала ему, разорилась, превратилась в немощного паралитика в инвалидной коляске».

Представляете любовь, в которой главное желание — разрушить! Если она осознала все это еще тогда, то какой же властью обладал этот человек над душой Шанель, что Коко даже не сопротивлялась. Ириб подчинил в ней все, Коко отдала ему представительство в фирме, на которую рассчитывала в будущем — «Духи Шанель», по его воле осталась без квартиры и прислуги, хорошо, что не без виллы. Почти исчезли друзья, весь ритм жизни подчинен только одному — здоровью Ириба, потому что у него диабет, нужен распорядок и определенное питание.

Они спрятались от сошедшего с ума Парижа на ее вилле, но и там Ириб не давал покоя. Поль пытался вытащить из Коко все, что только можно, о ее прошлом. Зачем? Словно для того, чтобы держать на привязи даже память. Он заставлял рассказывать и рассказывать о тетушках, у которых она воспитывалась. Шанель позже утверждала, что они даже поехали в овернскую глушь, чтобы разыскать этот дом. И ведь она что-то ему показала, потому что поверила...

Зачем Ирибу было нужно это разрушение? Неужели не понимал, что, разрушив жизнь Шанель, сам останется ни с чем? Но Коко, сама того не сознавая, нечаянно подметила, что Поль просто оказался не испанцем и не баском, и не французом, а никому не нужным. Огромная энергия Ириба была никому не нужна и потому направлена на разрушение. Сначала нечто похожее на политическую борьбу, но, когда стало опасно, Ириб самоустранился и... принялся за ту, за счет которой давно жил...

Мэйбл повезло, она легко отделалась, оставшись с детьми, но без такого мужа. Шанель тоже повезло в известной степени.

Ириб сумел развестись с американской супругой и был готов жениться на француженке. Коко готова выйти за него замуж.

Но вмешалась судьба. В конце сентября 1935 года на теннисном корте виллы «Ла Пауза» Поль Ириб, не завершив партию, вдруг упал и больше не встал. Ириб умер, что называется, среди бела дня и вдруг. Шанель смотрела на него и не могла поверить своим глазам. Судьба снова забирала у нее того, кто мог стать мужем, кого она любила! В ту минуту было наплевать на его розыски тетушек, на его копание в ее душе. Поль Ириб умер — этого было достаточно, чтобы Шанель впала в ступор.

На помощь пришла Мися, на сей раз она вовсе не старалась, чтобы мучения подруги продлились как можно дольше, она действительно сочувствовала и поддерживала...

Шанель снова (в который уже раз!) оставалась одна. И в который раз ее спасла работа.

Тогда еще никто не знал, что все споры о том, что носить в следующем сезоне, ненадолго, что совсем скоро мысли займут другие темы, потому что до начала войны оставалось меньше трех лет.

Это были беспокойные годы забастовок, протестов, смены правительства... Вопросы империи моды, несмотря на ее нужность и множество рабочих мест, отошли на второй план. На первый вышла предстоящая война, а потом оккупация и ее последствия. Для Шанель тоже.

ГЛАМУРНАЯ ОККУПАЦИЯ

Париж всегда Париж

В 2008 году в Париже проходила выставка фотографий, сделанных Андре Зукка по заказу журнала «Signal» — «Парижане под оккупацией» («Les Parisiens sous l'Occupation»). Снимки рассказывали о жизни Парижа в 1942—1944 годах.

Мэрия французской столицы запретила рекламу выставки, да и сама выставка состоялась всего раз и проходила недолго, хотя интерес вызвала огромный.

Можно по-разному относиться к этим фотографиям, все же журнал «Signal» контролировался оккупационными властями (такие журналы издавались во всех оккупированных странах на 30 языках), фотографии делались по заказу и заведомо должны были показать мирную жизнь Парижа. Действительно, на снимках довольные, даже нарядно одетые люди идут по своим делам, гуляют, покупают мелочь у уличных киоскеров, сидят в кафе, слушают музыку, везут на продажу мясные туши, выбирают на лотке овощи... Фотографии цветные, день выбран солнечный.

Монтаж? Едва ли, это явно не постановочные снимки. Людей не заставишь вот так заниматься делами или отдыхать, а мальчишек ревниво разглядывать катание приятеля на роликах, завистливо сравнивая его со своим собственным, слушать аккордеон, наблюдать за игрой взрослых в карты... Озабоченное лицо только у пожилой женщины с нашитой на черную одежду желтой звездой...

Просто Париж — это не Сталинград или Минск, где шли бои за каждый дом, не Ленинград или Роттердам, которые немцы норовили сровнять с землей многотонными бомбами, это не Москва или Лондон, где немало разрушений от налетов... В Париже была оккупация, но не было ВОЙНЫ, что очень и очень важно. Не будем обсуждать, правильно или нет поступили те, кто сдал Париж практически без боя, насколько успешно воевали там бойцы Сопротивления, но надо признать, что жизнь в городе во времена оккупации не остановилась, она лишь ненадолго притихла в самом начале.

Для парижан война началась 10 мая 1940 года, но она все равно шла где-то там далеко, на границе с Бельгией (хотя это не очень далеко). Уже 14 июня верховное командование вермахта опубликовало следующее коммюнике:

«После полного развала всего французского фронта между Ла-Маншем и линией Мажино у Монмеди французское командование отказалось от своего первоначального намерения защищать столицу Франции. В мо-

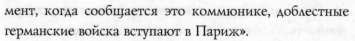

мент, когда сообщается это коммюнике, доблестные германские войска вступают в Париж».

Действительно, 14 июня в 5 часов 30 минут через ворота Виллет в город вошли части 18-й армии фон Кюхлера. Сопротивления они не встретили никакого. Одна группа была тут же отправлена к Эйфелевой башне, другая к Триумфальным воротам — водружать флаги со свастикой. В следующие дни поток регулярных германских частей вливался в Париж, часть из них оставалась, часть спешила дальше на юг.

Еще до полудня первый комендант «большого Парижа» генерал фон Штутниц обосновался в отеле «Крийон». Париж был оккупирован.

Жизнь в городе замерла совсем ненадолго. В своей книге о секретных операциях абвера руководитель парижской группы этой организации Оскар Райле (он был таковым всю оккупацию) вспоминал, что с первого же дня работали отели, вышколенный персонал которых, может, и ненавидел оккупантов, но никак этого не демонстрировал; в ресторанах имелась приличная еда и прекрасные вина, которые можно заказать по смешным ценам; большинство магазинов и кафе открылись заново и стали принимать в качестве оплаты рейхсмарки. Конечно, в утверждениях Райле немало натяжек вроде почти восторга парижан перед этими самыми рейхсмарками, но, в конце концов, он прав — Париж быстро стал жить вполне нормальной жизнью. Ненормальными были только черные свастики на красно-белых полотнищах, большое число военных на улицах и необходимость все согласовывать с комендатурой.

Райле рассказывает, что большинство государственных учреждений оказалось работниками не просто покинуто, а брошено на произвол судьбы, двери распахнуты настежь, горы документов оставлены без присмотра, а под Орлеаном вообще стоял целый железнодорожный состав, набитый секретными архивами французского министерства обороны! Немцы разбомбили мост через Луару, и французы не смогли переправить состав на другой берег, а сжечь почему-то не догадались. Такой подарок...

Конечно, в Париже была быстро налажена работа собственной полиции, но первое время она полностью подчинялась немцам, а те потребовали выдать досье на всех, кто подозревался в шпионаже в пользу Германии, а заодно и других стран... Надо ли говорить, что оказалось взято на учет немало агентов британской МИ-6. Райле пишет, что для разбора этих дел ему пришлось привлекать нескольких владеющих французским офицеров абвера.

Запомните этот факт, потому что одним из таких дел было толстенное досье на знакомую нам... Габриэль Шанель! Правда, не в одиночку, а в связке с супругами Верой и Альберто Ломбарди. Вера Ломбарди, или Вера Бейт (что познакомила Шанель с Вендором), как она звалась прежде, сыграла в жизни Коко немалую роль, ей будет посвящена отдельная глава, касающаяся именно работы на разведку. Пока просто запомните и этот факт: начиная с января 1929 года за Габриэль Шанель и четой Ломбарди французской полицией велась уже постоянная слежка, как за возможными агентами (только вот чьими — то ли МИ-6, то ли немцев?), их телефонные разговоры прослушивались, малейшие изменения записывались. Правда, делалось это временами столь небрежно, что остается только посмеяться. Например, наблюдать предписывалось за двумя семейными парами — супругами Ломбарди и мсье и мадам Шанель! И ведь наблюдали, одна недоработка — о мсье Шанеле ничего не записано...

Представьте, что досье было своевременно и с интересом изучено работниками абвера... Ломбарди уже давно жили в Риме, а «мадам» Шанель, которая вообще-то мадемуазель, очень кстати вернулась в Париж...

А где она была до сих пор?

Коко не стала дожидаться оккупации Парижа и поспешила на юг в Корбер, в дом, купленный племяннику Андре Палассу. Сам Андре ушел воевать сразу после объявления войны с Германией в 1939 году, находился где-то на линии Мажино и попал в плен, а затем в лагерь для интернированных или в концлагерь. Но его дочь Габриэль (любимая племянница Шанель) запомнила пребывание тети в Корбере, куда та приехала на машине вместе с еще несколькими женщинами.

Перед отъездом Шанель сделала несколько жестов отчаяния. Поскольку она давно закрыла свои ателье и текстильные фабрики и не знала, что ждет ее магазин и квартиру в Париже, Габриэль решила, что больше не может помогать братьям. В конце концов, она имела на это право, братья и так немало стоили ей. Альфонс и Люсьен получили от сестры письма с уведомлением, что отныне должны заботиться о себе сами.

Альфонс жил на сестринское содержание весьма неплохо, почему-то Шанель выделяла ему куда больше средств, чем брату, постоянно оплачивала его карточные долги, покупала машины взамен разбитых и помогала семье. Люсьену она тоже купила дом, вернее, выслала для этого деньги, их было достаточно, чтобы обзавестись настоящим поместьем, но разве мог молодой крестьянский парень позволить себе такую роскошь? Он построил скромное жилище, а остальное положил в кубышку.

И вот теперь сестра сообщила, что разорена. Реакция братьев была прямо противоположной. Люсьен написал, что готов предоставить в ее распоряжение остаток денежных средств. Брат был намерен высылать ей денежные переводы из тех сумм, что сумел скопить благодаря ее же помощи. Не пришлось, потому что в марте следующего года Люсьен умер.

Альфонс тоже ответил:

«Габи, вот и ты на мели. Это должно было случиться».

У него благодаря ее деньгам было кафе, был дом, и все это на свободном юге Франции, но брат не счел нужным предложить бежавшей из оккупированного Парижа сестре приют под своей крышей. Друзья познаются в беде, братья тоже. Шанель вычеркнула из жизни и Альфонса, и его семью. В пятидесятых годах уже после возвращения Мадемуазель в мир моды дочери Альфонса приезжали в Париж, даже приходили в салон Шанель, но тетя их не приняла. Шанель была дамой решительной — вычеркивать, так вычеркивать!

Итак, с братьями покончено! Но в Корбере, где жила семья Андре, неимоверно скучно, тем более пришло сообщение, что он сам попал в плен. Требовалось вернуться в Париж чего бы это ни стоило! Уезжая из «Ритца», она упаковала свои вещи в чемоданы и оплатила номер на пару месяцев вперед, а потому считала, что ей есть где жить. Если в Париже это вообще возможно.

Мадемуазель храбро отправилась обратно. Поток беженцев навстречу, забитые машинами и людьми дороги, отсутствие мест в гостиницах и обыкновенная нехватка еды... Никакие трудности пути не остановили Шанель, она добралась до Парижа и до Вандомской площади.

Отель «Ритц» оказался занят немцами, причем ее прежний люкс с видом на Вандомскую площадь теперь предназначался для самых высокопоставленных, например, одно время в нем жил маршал Геринг. Конечно, Шанель в номер не пустили, ее даже не впустили в сам отель — по обе стороны шлагбаума перед ним стояли рослые автоматчики, которым было совершенно наплевать на веяния мировой моды и даже на «Шанель № 5»!

И все же ей удалось переговорить с помощником администратора отеля. Выяснилось, что для чемоданов Мадемуазель немцы, выкидывая вещи уехавших постояльцев, сделали исключение, потому что на глаза интенданту попался фирменный знак Шанель — сцепленные между собой буквы С. Интендант вспомнил, что такой же знак на флаконе любимых духов его обожаемой супруги, и поинтересовался, какое отношение к вещам имеет вензель. Услышав имя Шанель, он приказал чемоданы просто унести в сторонку.

Показательно поведение Шанель в первые дни после возвращения. Конечно, можно сказать, что она просто не осознала всей сложности момента, но Серж Лифарь, ее горничная Жермен Доменже, ближайшая подруга Мизия Серт и многие другие утверждали, что Коко вела себя так, словно немцев не было вовсе! Она их старалась не замечать все время оккупации! Или ставить на место (они послушно становились).

Началось все именно с появления в отеле «Ритц». У Шанель была маленькая квартирка на рю Камбон над ателье, в конце концов, можно бы остановиться и там. Но взыграло ретивое: почему это она должна уезжать из любимого отеля?! Нет! Немцы, скорее всего, столь мелкого инцидента не заметили, а администратору пришлось постараться. Шанель нашли крошечный номер на самом верхнем этаже в крыле, выходящем на улицу Камбон. Но так даже удобнее, потому что престижный корпус с видом на Вандомскую площадь занят военными, которым запрещено появляться в боковом, а постояльцам из бокового крыла не рекомендовано мозолить глаза важным птицам из главного. Кесарю, как известно, кесарево...

Перепуганный натиском Мадемуазель помощник администратора напомнил, что она прежде обязана посетить комендатуру. Шанель возмутилась:

— Такая грязная?! Мне нужно вымыться и переодеться. Сами сходите в комендатуру и доложите, что приехала мадемуазель Шанель. Я схожу, когда приведу себя в порядок. Меня учили, что обращаться с просьбой к кому-либо следует в чистом виде.

Неизвестно, поспешил ли в комендатуру помощник администратора, но Шанель действительно отправилась мыться.

Новый Париж должен бы удивить Шанель. Пару месяцев назад она уезжала из города, который опустел еще осенью 1939 года. С улиц исчезли такси, прохожие, из садов и скверов нянечки, прогуливающиеся с детьми, казалось, исчезли сами парижане. Они появлялись, только когда требовалось спуститься в бомбоубежище в случае воздушной тревоги. Витрины большинства ресторанов, кафе, роскошных магазинов, окна кинотеатров, галерей... заколочены, телефоны отключены, фонари горели через один и гасли совсем в случае все той же тревоги. Город не жил, а существовал по военным законам.

Теперь все вернулось. Снова стало ярко, правда,

всюду резали глаз черные свастики на красно-белом фоне. Свастика в Париже... ужас! А еще бесконечное количество людей в военной форме, причем не понимающих французского. Ежедневный марш немецких колонн по Елисейским Полям, немцы на Монмартре, на Эйфелевой башне, в Гранд-опера, в «Ритце»... Они щелкали затворами фотоаппаратов, норовя запечатлеть себя на фоне парижских достопримечательностей. Зато открылись рестораны, и, заплатив вступительный взнос, можно заказывать практически все, на что хватало денег. Снова зазвучал аккордеон, детей на улицах пока еще не было, но парижане уже стали выводить гулять своих обожаемых собак.

Скьяпарелли сбежала, а многие другие остались, работали Дома моделей — Баленсиага, Ланвен, Лелон, Пату... У Шанель продолжал работу только магазин на рю Камбон, где продавались духи и разная мелочь. Вход в магазин прекрасно виден из окна ее нового жилища, перед ним каждое утро выстраивалась очередь немецких солдат, желающих привезти или прислать домой подарок из Парижа, а что может быть лучше флакона самых знаменитых духов, купленных у самой Шанель?

Духов разрешили продавать только двадцать флаконов в день, очередь стояла задолго до открытия, и Мадемуазель не без ехидства мысленно обзывала оккупантов дураками:

— Все равно большинству не хватит!

Началась странная жизнь в совершенно неприемлемом для Шанель безделье. Немыслимо энергичная Мадемуазель вынуждена проводить день за днем в праздности. Она явно поспешила с закрытием своих ателье в самом начале войны. Остальные работали, а она бездельничала. От тоски Шанель принялась даже заново учиться пению. Любимая подруга-змея Мизия Серт ехидно заметила, мол, Коко решила, что у нее в таком возрасте может прорезаться голос!

В своей книге «В постели с врагом...» Хэл Воган приводит страничку учета постояльцев «Ритца», где значится, что комнаты 227 и 228 заняты мадемуазель Шанель. Из текста видно, что ее соседями по гражданскому крылу отеля «Ритц» были тринадцать французов, включая супругу управляющего отеля, трое американцев, двое англичан, четверо бельгийцев, один итальянец и один египтянин... Это те, кто поместился на данной странице учета. Неужели столь разномастная компания сотрудничала с немцами? Скорее, действительно, менее удобное крыло было отдано гражданским, ведь немцы пока еще старательно делали вид, что не мешают жить парижанам. Более фешенебельное, выходящее на Вандомскую площадь крыло, заняли сами немецкие офицеры высшего ранга.

В своих воспоминаниях Мизия Серт категорически пропустила военные годы, всего пара страниц, посвященных тому, что у нее испортилось зрение, а Серт переживал из-за смерти Руси. Одна ли Мизия так? Отнюдь, полагаю, во Франции нашлось немало тех, кто предпочел бы не вспоминать эти годы и вовсе не из-за ужасов концлагерей или оккупации, а... совсем наоборот. У всех биографов Шанель с осени 1940 года по осень 1943-го тоже практически пропуск, за исключением упоминания уроков пения, сотрудничества с Кокто в качестве художника по костюмам для одного спектакля и заботы о больной Мисе. И, конечно, любовной связи с Динклаге, якобы приведшей ее в лоно абвера.

И все? За три года практически никаких событий? И это у беспокойной Шанель? Что-то тут не так...

А как вообще жили в Париже и во Франции во время оккупации и режима Виши?

Прежде чем читать следующие страницы, отключите, пожалуйста, критическое мышление. Просто перестаньте воспринимать написанное, как повод для праведного гнева, каким бы справедливым он ни был. Особенно призываю всех, воспитанных на светлой памяти «Нормандии-Неман».

Если не можете, лучше пропустите пару страниц, иначе получите заряд негатива по отношению ко многим уважаемым личностям и испортите себе настроение.

Подчеркиваю: информация не для осуждения, рассуждения или размышления, информация ТОЛЬКО для сведения, чтобы понять, каким был Париж в годы оккупации.

Коротко политическая ситуация.

Франция пала так быстро, что союзникам оставалось лишь развести руками, хотя их вина в том была немалой, союзнические войска торопились унести ноги наперегонки с французскими. Наступать немцы начали 10 мая, а уже 22 июня 1940 года в Компьене подписано перемирие и страна поделена на две части — северную (с Парижем), находящуюся в управлении немцев, и южную со столицей в Виши (отсюда «режим Виши») под управлением французов с Анри Петэном во главе. Именно Петэн при встрече с Гитлером впервые назвал себя коллаборационистом, что после войны стало ругательством.

Не стоит думать, что с 23 июня начало действовать движение Сопротивления, не было такого. Во-первых, французы оказались просто в растерянности, им столько лет твердили, что линия Мажино непроходима, мол, она надежнейшим образом навсегда защитит Францию от посягательств Германии, что никому в голову не пришло спросить, а нельзя ли эту линию обойти, как Китайскую стену? Германские войска так и сделали.

Война оказалась со стороны Германии настоящим блицкригом. Париж защищать никто не стал, объявив «свободным городом», но и остальная Франция не знала, как ей быть, лишь разрозненные группы самых энергичных молодых людей ушли в подполье, а позже в горы на юге (это было, когда немцы оккупировали и юг Франции тоже), назвав себя маки.

Политическая власть и чиновники поддержали Петэна, предоставив ему неограниченные полномочия. Единственный пример неподчинения — префект в департаменте Эр и Луар Жан Мулен. В одноименном фильме Жана жестоко избивают за это в тюрьме, откуда ему удается бежать, чтобы возглавить Сопротивление во Франции. Слава героям, но именно тогда Жана никто не избивал, его просто отстранили от должности. Сознавая опасность, Мулен бежал в Англию к де Голлю, став с 1941 года в Лондоне членом «Свободной Франции». Там был создан Национальный совет Сопротивления и Секретная армия.

Сначала сопротивлялась только Французская коммунистическая партия, сильно поредевшая и запрещенная перед войной, коммунисты ввели практику убийства немцев поодиночке, на что сами немцы ответили расстрелами заложников — десять за одного, это, как вы понимаете, популярности такому методу борьбы не добавляло.

Когда 8 ноября 1942 года американцы высадились в Северной Африке, создав серьезную угрозу подчиненным немцам колониям и оттуда нападения на континент, Германия оккупировала и юг Франции, однако оставив управлять территорией принесшего присягу на верность Петэна с его правительством.

Довольно быстро начались еврейские чистки, смешно было бы ожидать, что нацисты станут проводить в оккупированной Франции политику, отличную от своей собственной. Вот тогда и появились серьезные партизанские отряды маки, собранные из ушедших в горы молодых людей. Иногда, как в случае с отрядом коммуниста Гингуина, отряды были просто могущественными. Немцам пришлось отвлечь большие силы на борьбу с партизанами юга Франции, зато эти войска не смогли попасть на Восточный фронт и позже противостоять союзникам при высадке в Нормандии.

Жан Мулен попал в лапы гестапо в середине 1943 года, вот теперь его избивали «от души»! Он умер в поезде по дороге в концлагерь. Жан Мулен — национальный герой Франции.

Но это все на юге, а Париж жил почти обычной жизнью. Немцы пока очень старались сделать вид, что не вмешиваются в работу назначенной французской администрации, а жизнь самих парижан так и вовсе норовят превратить в спокойную и приятную.

В начале войны (пожалуй, до самого Сталинграда) мало кому приходило в голову, что немцев можно разбить (во всяком случае, скоро), а потому следовало к ним приспособиться. И парижане приспосабливались всяк на свой лад. Считается, что в конце 1940 года в Париже едва ли нашлось бы полсотни человек, которые сопротивлялись оккупантам. Политика немецких властей внешне казалась весьма доброжелательной, к тому же они в первую очередь стали покровительствовать интеллектуальной и художественной элите Франции.

Особенное внимание уделялось самому массовому искусству — кино. За годы оккупации Францией было произведено 240 полнометражных и 400 документальных и мультипликационных фильмов, это превзошло объем продукции даже самой Германии. Свыше тридцати фильмов сняты полностью на деньги нацистов.

Оживились парижские театры, например, в уже проблемном для немцев 1943 году их кассовый сбор превысил довоенный (1938 года) в три раза! Несмотря на нехватку бумаги, издатели получали для своих нужд столько, сколько им требовалось. Отто Абетц, посол Германии во Франции, получил наставления Гитлера делать все для нужд французской интеллектуальной элиты. Он старался...

Цензура запрещала публиковать только материалы на тему войны и безопасности, а также никаких произведений еврейских авторов! Ну и ничего антигерманского.

Удивительно, но цензурой во Франции оказалась запрещена... «Майн Кампф»! Основание вполне разумное: французам ни к чему знать, что о них действительно думает Гитлер. Скрывать было что, в одной из бесед Гитлер говорил: «...Франция — это страна «негроидов», она придет в упадок, который тысячу раз заслужила. Когда настанет время для сведения счетов с Францией, Версальский мир будет детской игрой по сравнению с условиями, которые мы ей навяжем». Геббельс в дневнике писал: «Если бы французы знали, что фюрер потребует от них, когда придет время, у них, наверное, выскочили бы глаза из орбит. Поэтому хорошо, что мы пока не раскрываем своих замыслов и пытаемся выбить из покорности французов все, что вообще возможно».

Стоило ли говорить французам, что их ждет разделение страны на части в виде отдельных небольших государств? Когда-то Франция это уже проходила — отдельно Бургундия, Лотарингия, отдельно юг и север... Только оккупантами были англичане. Спасла страну тогда, как известно, Жанна д'Арк.

Но сейчас Англия где-то там за Ла-Маншем, который по обе стороны называли просто Каналом, а во Франции почти благодушные немцы, готовые помогать французам жить организованно и приятно. Особенно тем, кто не сопротивляется и поддерживает идеи национал-социализма (не путать с фашизмом, тот в Италии).

В результате погрузившаяся в простую апатию основная масса и прикормленная элита... Кому сопротивляться-то?

Офицер абвера Винклер на суде спокойно пожимал плечами:

— Для охвата всей страны нам требовались как минимум 32 000 агентов из коренных французов. Мы их получили.

Вообще-то агентов нашлось куда больше.

Жизнь в Париже была даже спокойней последних предвоенных лет с их забастовками и демонстрациями. Работали театры и кино, были открыты рестораны и кафе, даже создано множество новых публичных домов. Все для удобства оккупантов, ну и тех, кто их поддерживал. Немцам очень нравился «Paris bei Nacht» — «ночной Париж».

Как тут не вспомнить лозунг Жана Кокто: «Да здравствует позорный мир!»

Кокто с удобствами жил с вернувшимся с войны Жаном Марэ в «Пале-Рояль», привычно пользуясь финансовой помощью Шанель. Немцы вообще-то его презирали за гомосексуализм и пристрастие к опиуму (Кокто выкуривал по 30 трубок опиума в день), но смотрели на наркозависимость Кокто сквозь пальцы. И им тоже нравился Жан Марэ — настоящий арийский красавец. После оглушительного успеха снятого по сценарию Кокто фильма «Тристан и Изольда», в котором Марэ-Тристан был больше похож на идеального эсэсовца, чем на древнего героя, бюст красавца даже вылепил скульптор Брекер, входивший в окружение Гитлера.

Да-да, это тот самый Жан Марэ, благородный Монте-Кристо, безжалостный Фантомас, мужественный маркиз Рудольф из «Парижских тайн»... И ему, и Жану Кокто легко простили дружбу с нацистами.

Простили много кому и много что.

Дружил с немцами Серж Лифарь. Он лично был гидом Геббельса, когда тот осматривал здание Гранд-опера. В 1941 году, когда немцы взяли Киев, отправил Гитлеру приветственную телеграмму (Лифарь уроженец Киева). Когда город освободили, соболезнование, правда, не выражал. В 1942 году он трижды ездил в Германию и был ласково принят нацистскими бонзами.

В своих воспоминаниях Лифарь не делал секрета из сотрудничества с немцами и даже из того, что приходилось попадать в весьма унизительное положение. Когда во Франции началась всеобщая охота за евреями (к которой сами французы отнеслись «с пониманием»), кому-то пришло в голову, что он тоже еврей, только «перевернутый», мол, если прочесть фамилию наоборот, то получится «Рафил». Кому именно пришло в голову читать фамилии задом наперед и на этом основании определять национальность людей, не знаю, но Лифарь вынужден был доказывать свое благородное происхождение.

В кабинете у немецкого офицера от такой нелепости он совершенно растерялся и, видимо, вспомнил дурацкий случай, произошедший незадолго до этого с Жаном Кокто. Кокто, несмотря на свою гомосексуальную ориентацию, частенько посещал бордель «L'Etoile de Kleber», принадлежавший мадам Билли. Верхний этаж заведения арендовала Эдит Пиаф (не подумайте, что в качестве сотрудницы «мадам»!), его завсегдатаями были Морис Шевалье, многие немецкие чины и даже члены Сопротивления... Хороший стол, приятная беседа... совсем забывалось, что Париж вообще-то оккупирован и за столом рядом сидят враги. Но однажды кому-то из немецких чинов в подпитии показалось, что в компанию присутствующих затесался... еврей! Разве не оскорбительно для истинного арийца пользоваться услугами одних и тех же проституток вместе с неарийцем?!

Для выяснения столь щекотливого вопроса немец не придумал ничего лучшего, как приказать мужчинам... приспустить штаны, дабы убедиться в целостности... ну, кое-чего. Убедился, нарушителей не выявил, все обошлось.

Видно, этот случай, со смехом рассказанный Жаном Кокто, пришел в голову отчаявшемуся доказать свою «полноценность» Лифарю, и тот устроил демонстрацию принадлежности к арийской расе прямо перед обомлевшим офицером-немцем. Конечно, доказал, но едва не попал в тюрьму уже за оскорбление представителя германской армии. Это было бы смешно, если бы не было так грустно...

Сотрудничали многие, например, Эдит Пиаф считала нормальным снимать этаж в борделе и петь перед его посетителями, получая за ночное выступление как средний служащий за год работы. Но она же отправляла немало денег участникам Сопротивления, а еще ездила в лагеря, фотографировалась там с заключенными, чтобы подпольщики потом на основе этих фотографий делали фальшивые документы. Называется немыслимая цифра — 120 фальшивых удостоверений за один раз. Думается, это колоссальное преувеличение и в том, что это были концлагеря (уж больно сытый народ на фотографиях), и в количестве людей, потому что разместить вокруг себя сто двадцать человек так, чтобы все получились в фас и достаточно четко, просто невозможно. Но даже если за все время это были не 120, а 12 человек, все равно честь ей и хвала!

Герберт фон Караян часто выступал в Париже с концертами и даже предлагал Лифарю бежать на его личном самолете, когда союзники уже подступали к столице Франции.

Активно сотрудничали скульптор Поль Бельмондо (отец знаменитого Жана-Поля), Пабло Пикассо... Андре Жид придумал оправдательную теорию, он говорил: «Какой смысл набивать себе синяки, ударяясь о решетку. Чтобы меньше страдать от тесноты своей клетки, нужно только держаться поближе к ее середине». Очень разумный подход к жизни, особенно когда находишься на оккупированной территории и могут заставить приспустить штаны для подтверждения соответствующего происхождения. Андре вообще оказался умнее многих, он просто уехал в Тунис и вернулся после войны. Зато никаких обвинений и опасностей.

Иван Бунин предпочел жить в Грассе в нищете и впроголодь, но ничего не публиковать за время оккупации. Немцы не рискнули тронуть лауреата Нобелевской премии.

Анри Матисс тоже поселился на юге Франции и ушел от дел. А вот его супруга Амели и дочь Маржерит вступили в Сопротивление. Маржерит была арестована, подвергнута пыткам и отправлена в лагерь Равенсбрюк, откуда не возвращались, но сумела бежать, когда их поезд разбомбила союзническая авиация.

Сотрудничал с режимом Виши Франсуа Миттеран, считающийся героем Сопротивления, был добровольцем Фредерик Помпиду — дядя будущего президента Франции... И многие, многие, многие... Более 100 000 французов были членами прогитлеровской партии.

Как можно осуждать тех 100 000 французов, что вступили в «Ваффен СС» и другие войска, чтобы отправиться на Восточный фронт, если бо́льшего жупела, чем угроза коммунизма, для Европы не было? Разве только вот евреи... Но с ними боролись! Даже на паровозе состава, увозившего добровольцев на Восточный фронт, транспарант «Mort aux Juifs» — «Смерть евреям!». Чем так насолили паровозной бригаде потомки царя Соломона, неизвестно.

Осуждать? Лучше попробуйте честно ответить: вы уверены, что устояли бы перед массированной пропагандой, которой пичкали десятилетиями? Сначала поток беженцев из России, а в Париж ехала в основном интеллигенция, страсти о «бесчинствах, творимых большевиками», жупел Советского Союза... Потом пакт Риббентропа—Молотова накануне войны, когда Советский Союз вопреки, казалось, здравому смыслу стал дружить с нацистской Германией. А потом немцы собственными персонами, которые в общем-то жить не мешали, даже навели некоторый порядок. Перед войной у буржуа был популярен лозунг: «Лучше Гитлер, чем Народный фронт!» И с экрана смотрел умопомрачительный Жан Марэ в образе достойного представителя арийской расы...

Конечно, нацисты расправлялись с евреями, но, во-первых, антисемитская истерия была и в предвоенной Франции, а во-вторых, это же с евреями... А французы, те, у кого в штанах все в порядке, могли жить почти спокойно...

И жили, не желая знать об ужасах концлагерей, куда более жестокой оккупации на востоке, о настоящем, а не словесном антисемитизме...

Помните?

«Сначала они пришли за евреями. И я не заступился, потому что я не еврей.

Потом они пришли за коммунистами. И я отошел в сторону, потому что я не коммунист.

Потом они пришли за католиками. И я промолчал, потому что я протестант.

А потом они пришли за мной. И защитить меня было уже некому...»

Человеку свойственен синдром страуса, был бы песок поглубже.

Вернувшись в Париж, Шанель узнала, что племянник оказался не просто в плену, он попал в концентрационный лагерь. Анри Гидель называет Нацвейлер. Думаю, Коко, как и остальные французы и не только французы, понятия не имела об условиях содержания в этом лагере, иначе она отправилась бы спасать любимого Андре Паласса не только к Гансу фон Динклаге или Теодору Момму, но и к самому Гитлеру.

Лагерь Нацвейлер отличался от многих других тем, что, помимо простого уничтожения заключенных, там проводились мучительные медицинские «научные» опыты для нужд гауптштурмфюрера СС Августа Хирта, директора Анатомического института Страсбургского университета.

В крематорий Нацвейлера заключенные попадали либо после непосильной работы в каменоломнях по соседству, либо в результате экспериментов Хирта и его коллег. На них отрабатывали вакцины, для чего подопытным прививались желтая лихорадка, тиф, холера, чума, проказа... За каждым зараженным внимательно наблюдали до момента агонии, результаты аккуратно записывали в журнал.

Кроме того, в газовых камерах лагеря испытывали действие горчичного газа (иприта) и фосгена. Фосген вызывает мучительную смерть от удушья и отека легких, иприт — гниющие раны и не менее мучительную, долгую агонию...

«Отработанные» экземпляры отправляли в печь. Пепел давал неплохой приработок, немцам предоставлялось право покупать сожженных родственников за 120 марок урна. Считалось, что в урне прах именно того, чье имя написано в прилагаемом документе (причиной смерти, конечно, назывался разрыв сердца), хотя набирали его из общей кучи. Родственники, думаю, вопросов не задавали просто из нежелания тоже оказаться горсткой пепла.

Пепел также шел на удобрение большущего огорода и цветника коменданта лагеря. До весны 1942 года им был Ганс Хюттиг. В марте 1954 года французским судом в Меце он приговорен к смерти, но в 1956 году... отпущен на свободу! Спокойно доживал в Вахенхайме, судя по всему, десятки тысяч зверски замученных ему по ночам не снились.

Знала ли об этом Шанель? Конечно, нет. Но она прекрасно понимала, что любой лагерь это лагерь, а Андре не отличался здоровьем. Требовалось срочно найти кого-то, кто смог бы его вытащить.

Вообще-то с Нацвейлером явный перегиб, потому что Андре вернулся никак не раньше 1941 года, а там так подолгу не жили. Скорее, он попал в лагерь для интернированных, куда отправляли всех, кто стойко оборонял линию Мажино. Как вы помните, немцы ее обошли и оказались у защитников в тылу. Кто не успел спрятаться, попал в лагерь. Именно в такие лагеря ездила с фальшивыми документами Эдит Пиаф. Конечно, там условия тяжелые, но не концлагерные. Хотя и там расстреливали, и оттуда бежали.

А скорее всего он вообще вернулся после освобождения Франции году в 1944-м, потому что еще в январе этого года Шанель ездила в Берлин, «зарабатывая» спасение племянника. Если, конечно, вся история со спасением не откровенная выдумка, от Мадемуазель всего можно ожидать.

Режиму Петэна удалось договориться с немцами о возвращении военнопленных из лагерей, правда, взамен них на работу в Германию поехали многие тысячи французов. Поехали, надо сказать, не всегда принудительно, в Германии работа была, а во Франции далеко не всегда.

Но осенью 1940 года никто не мог знать, что пленных когда-нибудь выпустят и что они вообще вернутся.

Поскольку немцы для нее не существовали, а спасать Андре Паласса нужно, пришлось искать кого-то к немецким кругам близкого. Вспомнила ли она барона фон Динклаге или тот случайно попался ей на глаза в городе, неизвестно. В «Ритце» этого произойти не могло, барон не был столь важной шишкой, чтобы его допускали в святая святых немецкого общества Парижа. К тому же он сам старался не мозолить лишний раз глаза военным.

Возможно, Шанель ухватилась за первого не немца со связями, который пришел на ум. Конечно, у нее были куда более влиятельные знакомые, но они все оказались вне Парижа — в Англии, в США, в Испании... А рядом только те, кому также требовалась помощь — Мися, затаившаяся в своей квартирке, как в норке, Серж Лифарь, ежедневно рискующий головой, Жан Кокто, который без ее финансовой поддержки не просуществовал бы и месяца...

Были и приятельницы вроде Жаклин и Эммелины

Феллоуз, дочерей светской львицы Дейзи (Маргариты) Феллоуз, которых начало войны застало во Франции. Удивительно, но Шанель не воспользовалась таким знакомством, а ведь обе правнучки знаменитого производителя швейных машин Зингера продолжали светскую жизнь в Париже, правда, диаметрально противоположную.

Их мать — Маргарита Феллоуз, которую в узком кругу звали Дейзи — была любимой кузиной Уинстона Черчилля. Известен даже случай, когда тот в Канне отменил встречу с государственными деятелями, ради которой собственно приехал, чтобы только покататься на огромной 70-метровой яхте Дейзи. Старшая дочь Эммелина с мужем Александром де Кастижа сразу активно включились в движение Сопротивления, Александр даже полгода провел в тюрьме гестапо. Совсем иначе вела себя Жаклин, она продолжала устраивать блестящие приемы, на которых бывали высокопоставленные немцы. В одного такого — Альфреда Краузе — Жаклин влюбилась и, к совершенному изумлению всех знакомых, в 1941 году даже вышла за него замуж.

Во время одного из приемов, на которых все чаще появлялись немецкие чины не из последних, к ней подошел немецкий гость и осторожно предложил... сотрудничать с абвером! Перепуганная Жаклин не ответила ни «да» ни «нет», но бросилась искать помощи у кого-нибудь знакомого. Этим знакомым оказался Альфред Краузе. Краузе успокоил симпатичную наследницу миллионов Зингера, обещав замолвить словечко перед кем нужно. Таким человеком стал офицер абвера Гискес, который заверил, что никто привлекать леди Жаклин к работе на организацию против ее желания не будет.

Счастливая, что ее оставили в покое, Жаклин сделала самого Гискеса постоянным гостем дома, а к Краузе воспылала, как мы помним, нежными чувствами. Через год после свадьбы у них родилась очаровательная малышка Розамунда. Счастью молодых родителей не было предела, с гражданством Третьего рейха у зятя смирилась даже его английская теща.

История с Жаклин весьма запутанна, следом за сестрой она принялась активно помогать Сопротивлению, а Фредди даже стал курьером движения. Англичанка предложила свои услуги МИ-6, обрабатывала секретную почту Сопротивления, адресованную управлению специальных операций британской разведки, под патронажем которой находилось Сопротивление. Супруги помогли спастись от гестапо 16 французским и английским летчикам, сбитым немцами... После освобождения Франции Краузе с помощью Черчилля разрешили въехать на территорию Англии, его принял сам премьер-министр, и вообще муж Жаклин оказался Уинстоном обласкан, принят в обществе и прочее, прочее, прочее...

Каков же был всеобщий шок, когда в октябре 1944 года выяснилось, что Фредди Краузе все, вплоть до женитьбы на Жаклин, делал по заданию... полковника абвера Гискеса! Просто во время допроса Гискес проговорился, что сумел заслать агента даже в окружение Черчилля. МИ-6 оговорку мимо ушей не пропустила и раскрутила все до основания. Конечно, Краузе отрицал, что был вынужден ухаживать и жениться ради дела, он искренне любил жену и родившуюся малышку, но факты вещь упрямая. Вся доверенная Краузе почта Сопротивления сначала попадала в руки Гискеса, а уж потом к адресату. Ущерб, который нанес муж Жаклин движению, трудно описать.

Жаклин с мужем развелась, но это было уже после войны. Фредди Краузе удалось выйти из воды почти сухим. Чтобы сохранить себе жизнь, он не претендовал ни на что, даже на встречи с дочерью, уехал в Австрию и тихо доживал там.

Почему Коко Шанель не обратилась за помощью к кому-то из подобных знакомых? В салоне Жаклин бывали многие влиятельные люди, но Габриэль предпочла не связываться с настоящими немцами, ей взялись помогать наполовину англичанин Ганс Гюнтер фон Динклаге и австриец Теодор Момм, старинный приятель Динклаге еще по веселой молодости в рядах королевского уланского полка Вильгельма II.

Что за птица этот Ганс Гюнтер барон фон Динклаге? Поистине птица, потому что прозвище имел Шпатц, то есть Воробей.

РОМАН С ВОРОБЫШКОМ

Любовь без учета партийной принадлежности

Если верить Хэлу Вогану, барон Ганс Гюнтер фон Динклаге был левой рукой Гитлера. Правой, как известно, у фюрера был Йозеф Геббельс. А может, фюрер левой рукой Динклаге? Во всяком случае, из книги «В постели с врагом...» следует, что Ганс Гюнтер, которого прозвали Шпатцем, то есть Воробышком, будучи в Берлине, запросто заскакивал к Гитлеру на огонек.

Как же Шанель угораздило влипнуть в столь примечательную и опасную любовную связь? Что за женщина: то у нее наследник российского престола, то самый богатый человек Англии, то почти приятель Гитлера!

Неясно одно: почему у этой левой руки фюрера не хватило влияния, чтобы освободить из лагеря для военнопленных (не Освенцима, не Дахау или Бухенвальда, а куда проще) не еврея Андре Паласса, ни в чем таком, кроме службы во французской армии, перед нацистской Германией не запятнанного? Слабая рука какая-то...

Конечно, никакой ни левой, ни правой, ни средней рукой Гитлера Динклаге не был, судя по всему, он вообще был мелкой-мелкой сошкой, озабоченной только одним — не попасть на глаза кому не нужно, чтобы не отправили на страшный Восточный фронт, но при этом старательно изображать бурную деятельность. Задача, надо сказать, не из легких — ничего не делая, казаться при деле. В гестапо тоже не простачки, на Восточный фронт не хотелось никому.

И все же как в жизни Мадемуазель появился Ганс Гюнтер фон Динклаге и зачем он ей (ну, кроме любовной страсти, конечно) нужен? Когда они вообще познакомились? Сама Шанель говорила, что знали друг друга много лет.

Встречается версия, что со времен «муленской банды», то есть когда сама Шанель была приятельницей Бальсана и егерей 10-го полка. Чтобы понять, что этого просто не могло быть, достаточно вспомнить: Ганс Гюнтер фон Динклаге на тринадцать лет моложе Шанель, то есть во времена Мулена и Руайе был просто мальчишкой! И хотя Ганс Гюнтер заядлый «лошадник», пожалуй, до 1928 года — времени, когда он приехал на работу в Париж, их пути вряд ли пересекались. Жермен Домерже, проработавшая у Шанель горничной тридцать лет, утверждала, что Мадемуазель познакомилась с Динклаге в Сент-Морице.

Динклаге не был чистокровным немцем, его мать англичанка, чем Ганс Гюнтер весьма гордился. Поговаривали, что прозвище Шпатц Ганс получил от высшего начальства. Снова не стоит подозревать в этом Гитлера или Геббельса, под начальством которого служил на заре своей шпионской карьеры Динклаге. Это вполне мог быть кайзер Вильгельм II, бывший в 1914 году командиром королевского уланского полка, в котором вместе с отцом воевал на Русском фронте Динклаге-младший. Несмотря на то что служба проходила вполне достойно (братья по оружию ничего дурного о нем вспомнить не могли), желания попасть еще раз на фронт с его опасностями Ганс Гюнтер больше не испытывал, он предпочел дипломатическую карьеру.

В двадцать пять лет женился на чудесной девушке Максимилиане, приятной внешне, сильной, здоровой и, что немаловажно, весьма небедной. Высокий, спортивный, красивый, блестящий танцор, умеющий очаровывать дам, Динклаге вовсе не собирался хранить верность супруге, а еще... жить экономно. Постоянная нужда в деньгах, думается, сыграла не последнюю роль в заключении в 1933 году контракта с Министерством пропаганды Третьего рейха под началом Йозефа Геббельса. Не думаю, что это означало личную встречу с самим Геббельсом и уж тем более с Гитлером, слишком мелкая сошка советник пресс-атташе по пропаганде. К тому же контракт сроком всего на год и, похоже, не возобновлялся.

Однако Динклаге в Париже понравилось, сам он парижскому обществу тоже, а потому последовало возвращение. При этом верная супруга осталась блюсти покой домашнего очага. Пропагандой Ганс Гюнтер больше не занимался, а вот что делал в действительности — загадка по сей день. Конечно, подозрений много, недаром Воробышек попал в поле зрения французской полиции еще со дня своего первого приезда во Францию в 1928 году, а уж когда «пропагандировал» нацистские идеи Геббельса, тем более.

Теперь Ганс Гюнтер фон Динклаге числился просто бизнесменом, правда, никто не знал, каким именно бизнесом он занимается. Какая разница, если человек красив, приятен в общении и не просит взаймы?

Но тут у Шпатца ребром встал семейный вопрос. Нет, его супруга вовсе не набралась смелости закатывать сцены ревности (хотя имела все основания), просто у нее вдруг обнаружилось «немного еврейской крови», что, сами понимаете, было неприятным сюрпризом и поводом для развода. Динклаге раньше не подозревал, что девушка отчасти еврейка? Конечно, знал, но пока у нее имелись деньги, а у него еще не складывалась карьера, стойко «терпел» такой «позорный» для истинного арийца факт. Пришло время, надобность в Максимилиане отпала, необходимость терпеть неподходящую родословную суженой тоже, и он развелся. Не он один, так поступали многие и многие, но это все равно не делает чести нашему «герою».

Если поискать ненавистников Воробышка, то таковыми сплошь и рядом окажутся особы женского пола, он многих обидел.

Женщин он использовал как своих помощниц безо всякого зазрения совести. Если нужны — соблазнял, если больше не пригождались — бросал. И шантажировал тоже спокойно. Судя по всему, так же спокойно он шантажировал после войны и свою «военную любовь» — Шанель. Коко долго содержала его сначала в Швейцарии и на вилле «Ла Пауза» тоже, а потом помогла перебраться на Ибицу, где потерявший финансовую поддержку плейбой практически обнищал.

Несмотря на свое прозвище, у дам Динклаге оставался в памяти надолго. Примечателен случай, когда в Париже он встретился с одной из бывших подруг. Узнавшая его дама с изумлением поинтересовалась, что он тут делает, ведь он журналист из Варшавы? Шпатц спокойно пожал плечами:

— Шпионю...

То есть открыто сознавался, что он шпион! Дама все свела к шутке, а ведь человек сказал правду! Это ставят во главу угла: вот же, сам сознался, что нацистский шпион! Сознался, да только в том, что шпион, а вот чей...

Биограф Шанель Эдмонда Шарль-Ру сетовала, что сколько ни искали по самым разным картотекам и архивам, никаких документов на шпиона Ганса Гюнтера фон Динклаге не нашли, мол, специалисты только разводили руками:

— Ничего нет.

Чем же действительно занимался Динклаге в Париже? У Хэла Вогана нет никаких сомнений: разведкой! Вполне возможно, даже скорее всего так, но в таком случае он был законспирирован просто идеально. Пьер Галант, который сам был во время войны связан с разведкой, только французской, утверждал, что Динклаге работал под начальством полковника Ваага. Ну и что? А то, что полковник Вааг — племянник адмирала Канариса и служил в его ведомстве, то есть в абвере. При этом ни в каких абверовских документах обнаружить следы Динклаге не удалось, а ветераны абвера от служебного «родства» с Воробышком открещиваются обеими руками.

Значит, либо Динклаге был просто супершпионом, о каком знала пара-тройка высших начальников (Вааг, Канарис, Геббельс и сам Гитлер), либо вся история со Шпатцем-шпионом попросту придумана. Если он супершпион, то зачем держать такого в оккупированной и почти смирной Франции, не против бойцов Сопротивления же его использовали. При всем уважении к движению Сопротивления приходится признать, что с его участниками куда легче было расправиться с помощью нескольких предателей, чем внедряя супершпиона. Но и Сопротивление Динклаге своим ни за что не признает.

И все-таки что-то же он делал, если сразу после освобождения Парижа поспешил «унести ноги», в отношении барона было принято постановление о высылке, которое до смерти Воробышка так и не отменили. Это не помешало Динклаге благополучно бывать во Франции после войны, например, на вилле «Ла Пауза» у своей любовницы Шанель.

Ну и где логика?

На минутку вернемся кВаагу и его доброму дяде, который тоже «честных правил» — Канарису. К чему нам Канарис? Просто в Главном управлении имперской безопасности и в абвере рядом с ним вовсе не было тихо, удержаться «на плаву» бывало сложнее, чем вернуться живым с Восточного фронта.

Когда Канарис возглавил военную разведку и контрразведку, ему было сорок восемь лет, но выглядел Фридрих Вильгельм много старше, потому что был совершенно сед. За ним тут же закрепились клички Седой и Старец. Разведка в том виде, в каком она предстала в начале Второй мировой войны, была настоящим детищем Канариса и называлась «Управление Аусланд/абвер/ОКВ». Тот самый знаменитый абвер («отражение, защита»). В 1940 году Гитлер произвел Канариса в адмиралы флота, все же Фридрих Вильгельм был заслуженным флотским офицером, до абвера успел и подводной лодкой командовать, и крейсером, кстати, очень успешно. Возникло знакомое нам сочетание: «адмирал Канарис».

Огромное четырехэтажное здание абвера на Тирпицуфер, 74/76 стали называть «лисьей норой», а самого хозяина «хитрым лисом». Кабинет Канариса в «лисьей норе» ничем не напоминал помпезные огромные залы кабинетов остальных руководителей рейха, он был на редкость скромным, почти спартанским, потому что Канарису явно все равно где работать. Обязательным оставался только потертый кожаный диван, походная железная кровать, на письменном столе макет крейсера, которым адмирал когда-то командовал, и статуэтка, изображающая трех обезьян — одна прислушивалась, вторая приглядывалась, а третья закрывала рот лапой (символ разведки — все слышать, все видеть и держать язык за зубами). Еще обязательными были фотография любимой таксы Сеппла на камине и присутствие самой таксы, а то и двух в кабинете. Собаки вели себя вполне по-хозяйски, не стесняясь поднимать ноги на углы шкафов или делать лужи просто посреди старого, вытертого многими ногами ковра. Канариса это не смущало.

Вильгельм готов работать двадцать пять часов в сутки, но, к сожалению, природа отпустила их всего двадцать четыре. Несмотря на военно-морское прошлое, адмирал был совершенно не военным человеком, форму надевал только в особых случаях и не любил тех, кто ходил в форме и четко щелкал каблуками, кивая головой или выбрасывая правую руку в партийном приветствии. Он вообще не любил людей и не доверял никому из подчиненных или коллег.

Зато обожал собак и лошадей. В связи с этим забавный случай: в 1936 году Канарис по подложным документам проник в Испанию, но у испанцев контрразведка тоже работала, а потому все телефонные разговоры адмирала-конспиратора прослушивались. Дешифровальщики испанской полиции головы сломали, пытаясь разгадать хитроумный код переговоров с Берлином — Канарис ежедневно интересовался... здоровьем больной собачки! Что бы это могло значить?! Перебрали все возможные варианты, подняли на ноги всех своих агентов, справляясь о самочувствии руководителей рейха, но так и не поняли. Испанской контрразведке в голову не пришло, что просто любимый пудель Канариса съел что-то не то...

Главным врагом адмирала стал руководитель Главного управления имперской безопасности Рейнгард Гейдрих. Тут были две причины, во-первых, у Гейдриха в управлении была своя разведка — СД (один из отделов которой возглавлял Вальтер Шелленберг), что страшно мешало людям Канариса. Во-вторых, Гейдрих постоянно «копал» под «старого лиса». Что делал в ответ Канарис? Конечно, собирал досье на самого Гейдриха. Оба преуспели.

Внешне они не просто соблюдали приличия, но и изображали весьма крепкую дружбу, Гейдрих даже купил дом неподалеку от «приятеля», чтобы проводить воскресные вечера вместе за стаканчиком вина и неспешными разговорами. Два разведчика представляли собой занятную пару: Канарис невысокий, седой, чуть мешковатый, и Гейдрих — почти двухметровая орясина с внешностью интеллигентного пруссака, всегда в форме, подтянут, гладко выбрит и готов крикнуть «Яволь!».

«Невоенному» Канарису удалось то, что не удалось Гейдриху — блестящая служба на флоте. Если Канарис

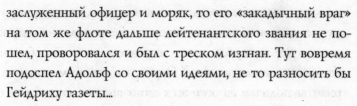

заслуженный офицер и моряк, то его «закадычный враг» на том же флоте дальше лейтенантского звания не пошел, проворовался и был с треском изгнан. Тут вовремя подоспел Адольф со своими идеями, не то разносить бы Гейдриху газеты...

Так что же было у «закадычных врагов» друг на дружку?

У Канариса в совершенно секретной папке лежал документ, подтверждающий, что прадед Гейдриха носил имя Аарон (со всеми вытекающими отсюда последствиями)... При случае это могло пригодиться. Гейдрих об этой папке если не знал, то догадывался.

А что имелось против самого Канариса?

Дело в том, что у верхушки рейха были у каждого свой каналы для связи с верхушкой Великобритании, причем связи достаточно тесные. Но если Гитлер, Геринг, Альфред Розенберг и даже сам Гейдрих связывались скорее с аристократией и через нее выходили на окружение премьер-министра и самого Черчилля, то Канарис был связан с МИ-6 — британской разведкой. И, похоже, «сливал» туда немало информации.

Двум разведкам рядом (СД и абверу), двум паукам в одной банке (Гейдриху и Канарису) тесно, вопрос состоял только в том, кто кого опередит. Когда Гейдрих вдруг в 1942 году собрался в Чехословакию, стало ясно, что он идет на опережение, ведь именно там у Канариса было «лежбище» МИ-6. Счет пошел на часы...

На Гейдриха в Праге чешскими подпольщиками совершено покушение. Довольно странное — сначала сменили водителя на машине, потом два нападавших выбежали на дорогу перед самым автомобилем, начали стрелять и бросили под машину бомбу. Водитель, вместо того чтобы дать газу и проскочить это взрывное устройство, напротив, практически остановился, в результате погиб от кровопотери сам и погубил шефа. Правда, Гейдрих умер не от ран, а через три дня от глупейшего сепсиса.

Но суть всей операции в том, что врага Канариса взорвали чехи, обученные в... Лондоне и по прямому жесткому приказу МИ-6. Чехи пытались отказаться от ненужного теракта, понимая, что немцы жестоко отомстят пражанам, но МИ-6 потребовала неукоснительного выполнения. Немцы отомстили — деревня Лидице перестала существовать вместе со своими жителями.

Как вы думаете, кому помогала МИ-6 в данном случае? Конечно, Канарис на похоронах пустил слезу, мол, «потерял друга...» и т.п., но многие могли заметить, что он вздохнул с облегчением. Правда, и папку с заветным документом про Гейдриха тоже уничтожил, теперь она была ни к чему.

На место Гейдриха заступил Кальтенбрунер, которого Канарис уже не боялся. Однако реальным руководителем абвера стал Гиммлер, и он не собирался уступать дорогу Канарису. Война разведок внутри рейха продолжилась.

Самого Канариса «свалили» позже — в 1944 году, а повесили в концлагере на фортепианной струне вообще в апреле 1945-го.

К чему так подробно о Канарисе и Гейдрихе?

Просто в деятельности Ганса Гюнтера фон Динклаге очень многое зависело, в какой компании работал именно он — у Ваага, значит, у Канариса, или у Шелленберга, значит, у Гейдриха и Гиммлера. А может, был двойным агентом? Тогда с какой стороны основным? Шанель он позже повез к Шелленбергу, то есть в СД, в управление имперской безопасности, VI отделом которого руководил Вальтер. А как же тогда Вааг и Канарис, который еще был в силе? Или это своеобразный «подарок» Шелленбергу в связи с его будущим усилением? Тогда Динклаге настоящий ухарь, способный заранее предусмотреть падение (чужое) и соломки подстелить (себе).

Почему Динклаге не сумел сам вытащить Андре из лагеря, а привлек для этого своего старинного приятеля Теодора Момма? Считается, потому что Момм отвечал за всю французскую текстильную промышленность и имел большие связи. Теодор Момм служил с Динклаге еще в Первую мировую, потом жил у родственников в Бельгии, потом вернулся в Германию. В Бельгии его семья владела текстильными фабриками, считается, что во Франции Теодор Момм отвечал за восстановление текстильного производства как почти специалист.

С Моммом Шанель начала общаться в середине 1943 года. Что-то поздновато, ведь Динклаге стал ее любовником осенью 1940-го. Это означает, что либо самого Момма не было в Париже, либо он действительно никакого отношения к попыткам спасти Андре не имел. Но восстанавливать промышленность стали сразу после оккупации, немцам было нужно французское текстильное производство. Согласно версии самой Шанель, Теодора Момма заинтересовали ее остановленные текстильные фабрики.

У Шанель, как всегда, несколько версий: то она утверждает, что Момм просто-таки потребовал от нее восстановления фабрик взамен на освобождение Андре Паласса, то заявляет, что она очень кстати предложила своего племянника в качестве нового руководителя предприятий, мол, никто лучше Андре не сумеет справиться с фабриками, то говорит, что предложила возглавить фабрики самому Момму.

Но во время допросов после войны Андре Паласс, отвечая на вопросы английских следователей, говорил только о Вофленде, не упоминая никакого Момма. Кроме того, он был освобожден в 1941 году, а Момм появился в поле зрения Шанель, как вы помните, в 1943-м.

Так кто же освобождал Андре и зачем был нужен Теодор Момм Шанель, а сама Шанель Момму?

Теодор Момм вообще загадочная личность во всей этой истории. Что связывало Динклаге и Момма, кроме старой дружбы? Почему Шпатц рискнул знакомить свою подругу с Моммом, мало ли что...

Это не пустые вопросы, потому что одним из главных действующих лиц в последующей операции «Модная шляпа» с участием Шанель будет именно Теодор Момм. Именно он поедет в Берлин к Шелленбергу и убедит шефа СД (внешней разведки) доверить престарелой даме из Парижа попытку связаться с премьер-министром Великобритании Уинстоном Черчиллем.

На фотографии у Теодора Момма вполне добродушный вид чиновника невысокого ранга, ничего особенного.

Но есть еще одна загадочная личность во всей этой истории — барон Луис Вофленд. Судя по приведенным Хэлом Воганом документам, Вофленд — агент абвера, имел номер 7667 и кличку Рыбак. Был протеже Динклаге и занимался вербовкой новеньких.

Но вообще-то вербовкой ведали совсем другие люди, сразу после оккупации Парижа была создана целая служба, отбирающая материалы полиции, которые могли заинтересовать абвер, вербующая французов (помните, было нужно 32 000 агентов, которых набрали очень легко). Но допустим, Вофленд именно этим и занимался, тогда при чем здесь Шпатц?

Если Шпатц резидент абвера, как на это намекают, то во время оккупации при столь масштабном увеличении численности агентов в строго законспирированном резиденте явно отпадала надобность. О нем забыли, что ли?

Если это так, то понятно, почему Воробышек тихо сидел в квартирке на рю Камбон и даже в Берлин вместо себя отправил Теодора Момма.

Шанель твердила, что ничем таким (кроме любви) они не занимались, ездили пару раз на виллу «Ла Пауза», вроде для того, чтобы проверить, все ли в порядке. Жюстин Пикарди утверждает, что там встречались с архитектором Робертом Штрейцем (помните, он «Ла Паузу» и строил, то есть знал там каждый уголок). Штрейц состоял в местной группе Сопротивления, он попросил посодействовать освобождению из гестапо друга — профессора физики, Шанель с готовностью обещала. Выяснилось, что в саду (видимо, в бывшем домике четы Ломбарди) целая база для размещения евреев, которых потом переправляли через итальянскую границу. А в погребах виллы... тайное укрытие и радиопередатчик!

Не знаю, освободили ли профессора физики, но никаких данных, что «...на вилле «Ла Пауза» накрыли группу Сопротивления...», нет. И Штрейц остался жив-здоров.

Хороша пособница нацистов и антисемитка, у которой на вилле прячут евреев и работает радиопередатчик? А Ганс Динклаге куда смотрел? Он был настолько влюблен, что старательно отворачивался в сторону при виде евреев и затыкал уши, когда Штрейц рассказывал о передатчике? Или они сознательно ездили на виллу, зная, что именно там увидят?

Судя по тому, что после первого визита деятельность Сопротивления продолжилась, хозяйка все же не была против.

Странная эта нацистская шпионка Шанель, ей-богу, странная!

Или не шпионка? Или не нацистская?

Ну любила она Ганса Гюнтера Динклаге, что тут поделаешь, не все себя в шестьдесят со счетов списывают, некоторые еще и влюбляются. И Шпатц был к ней не-

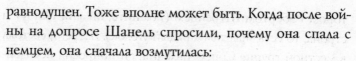

равнодушен. Тоже вполне может быть. Когда после войны на допросе Шанель спросили, почему она спала с немцем, она сначала возмутилась:

— Он не немец, у него мать англичанка!

А потом фыркнула:

— Мне столько лет, что, когда появляется любовник, я не спрашиваю у него паспорт!

Хорошо, что допрашивающий не подозревал, что Шанель со Шпатцем знакомы давно, еще с довоенного времени.

Жили себе и жили все годы оккупации тихонько-тихонько, даже на виллу ездили осторожно, чтобы местное Сопротивление не спугнуть.

Но ведь была операция «Модная шляпа», ездила Шанель в Мадрид, передавала письмо английскому послу в Испании Сэмюэлю Хору для Черчилля! Значит, была нацистским агентом.

Ну, положим, в Мадрид она ездила не один раз, первый вообще в 1941 году с тем же Вофлендом и вовсе не ради шляпы, а в попытке организовать продажу своих духов в Испании, жить-то на что-то надо.

И позже виза ей выписывалась дважды — в декабре 1943 года и в марте 1944-го.

Запомните эти даты, потому что, по официальной версии, «Модная шляпа» проводилась в январе 1944 года. К чему тогда мартовская виза?

А теперь про ту самую «шляпу», о которой столько разговоров.

СОВЕРШЕННО
СЕКРЕТНАЯ ШЛЯПА

Информация и дезинформация

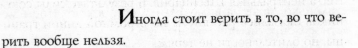

Иногда стоит верить в то, во что верить вообще нельзя.

Сначала небольшое не вполне лирическое отступление. Оно не касается Шанель и ее деятельности во время войны прямо, но показывает, насколько осторожными нужно быть с получаемой информацией. Никогда не знаешь, что перед тобой — правда, обман, правдивый обман, информация, выдаваемая за дезинформацию, или наоборот.

Вторая мировая война началась 1 сентября 1939 года, и на Западном фронте сразу возникла ситуация «сидячего» противостояния. Противники по обе стороны границы между воюющими странами мирно играли в футбол, обменивались шуточками, если позволяли погода и начальство, и ждали. Только в апреле немцы предприняли вторжение в Данию и Норвегию. Что касается остальных стран вокруг Германии — Нидерландов, Бельгии и Франции, — здесь продолжалось затишье, хотя были стянуты огромные силы и немцев, и союзников.

Наконец немецкое командование разработало план наступления через Бельгию «Гельб» («Желтый»), начало операции назначено на 10 мая 1940 года. Как водится, все совершенно секретно и, как водится, секрет утек из-за болтливости ответственных лиц, в дипломатические круги просочился слух, что наступление начнется через Бельгию, но одновременно, что это будет не Бельгия, а нейтральная Швейцария. В результате силы союзников оказались растянуты по огромной линии границы, но бдительности не теряли.

И тут... В первых числах мая из генерального штаба в ставку командующего группой армий, должных согласно «Гельбу» наступать через Бельгию, с окончательным вариантом плана отправлены два офицера. В секретном пакете, который они везли, было с немецкой точностью «разложено по полочкам» все: кто, где, когда и как, как отвлечь ложными ударами... В генеральном штабе свое дело знали.

Надо же такому случиться, что в вагоне с этими двумя оказался их друг юности, военный летчик, который спешил из отпуска к месту службы. Как водится, встречу отметили, конечно, показалось мало. Приятель сообразил, что поезд идет мимо его дома и родного аэродрома, а следующий — через два с половиной часа, вполне можно успеть выскочить, пропустить еще по рюмочке и сесть на более поздний. Все получалось удачно, однако встречи друзей иногда бывают слишком теплыми и затяжными, на поезд опоздали. Чтобы друзья не попали под трибунал, летчик предложил доставить их с ветерком, то есть на самолете. Сказано — сделано, втроем втиснулись в двухместную машину и полетели. После шнапса тесно не бывает, зато бывает весело, потому летели действительно с ветерком, правда, от «мертвой петли» в исполнении пьяного друга было решено отказаться:

— На обратном пути!

Петля и впрямь получилась мертвой... Пока спорили да пели песни, несколько «заблудились» и сели на аэродроме... бельгийского города Малин (того самого, откуда Петр I привез первые колокола с «малиновым звоном»). Звона не было, зато были часовые бельгийской комендатуры! Конечно, приятели не собирались отдавать секретный пакет просто так, в комендатуре при первой же возможности сунули его в печурку, но плотный пакет гореть не желал.

Бельгийцы документ вытащили, пламя сбили и, конечно, отправили, куда надо. Самих проштрафившихся офицеров тоже отправили... в Германию. Что могло ожидать людей, которые из-за пьяной дури погубили подготовленную операцию? Их отвезли в тюрьму Плетцензее, откуда обычно не выходили. Тут же состоялся суд, на котором давно протрезвевшие приятели свою вину признали и просили их расстрелять (чтоб не мучиться угрызениями совести всю оставшуюся жизнь?).

Ситуация патовая: подробнейший план наступления

с картами, схемами, указанием времени, отвлекающих маневров — в руках противника! Что делают в таком случае? Конечно, отменяют! Тут речь не о головах трех пьяниц, а о возможном срыве масштабного наступления с участием тысяч людей.

На стол Гитлера легли два приказа: об отмене наступления и о расстреле изменников Родины. Фюрер отложил в сторону оба. Немедленно созвано совещание, результаты которого при всей его секретности снова просочились за пределы кабинета Гитлера. Союзникам стало известно, что решено наступление перенести на июнь, а трех недоумков расстрелять.

Одновременно тут же произошла «утечка» информации, что все это подстава, немцы намеренно допустили попадание отмененного плана в руки противника, а шумная кампания по дискредитации алкоголиков в военной форме всего лишь обман, «расстрелянные» виновники заварухи допивают вторую, честно заработанную канистру шнапса на личной даче Гиммлера.

Союзники на столь грубую работу даже обиделись, за кого их принимают? Разве можно поверить, что в генеральном штабе немцев служат безответственные пьянчуги, способные «на бровях» залететь с секретным пакетом под мышкой на территорию врага? В разгильдяйство немецких офицеров не поверили, соответственно решив, что подброшенный, пусть и тщательно проработанный (наверняка для большей достоверности!), план — фальшивка. Мер не приняли.

10 мая 1940 года, как и было указано в попавшем в руки союзнических штабистов плане, началось немецкое наступление на Бельгию. Союзники оказались не готовы, операция «Гельб» прошла блестяще, противник разгромлен, Бельгия, Нидерланды и следом Франция капитулировали.

Во что здесь верите, а во что не верите лично вы?

В разгильдяйство немецких офицеров, почему-то отправившихся с секретнейшим документом в ставку на поезде и в военное время под действием паров шнапса закладывающих «мертвую петлю» над позициями противника?

В отказ фюрера что-то менять в сроках утвержденной тяжелой операции всего лишь в надежде на недоверчивость противника?

Или в то, что вся шумиха была с самого начала до конца тонко спланирована и организована? В руки союзников намеренно попал настоящий (!) план, но создано впечатление, что это «утка».

А теперь про саму «шляпу», которая, хоть и была названа «модной», не удалась совсем. Сначала общепринятый вариант развития событий, а потом о каждом участнике этой бредовой затеи отдельно, они люди занятные, того стоят.

Итак, версия, которая кочует из одной книги о Шанель в другую и которую большим количеством документальных материалов вроде бы подтверждает в своей новой книге «В постели с врагом...» Хэл Воган. Он действительно перевернул немало архивных папок, изучил, скопировал и преподнес много документов, но сказать, что это пролило свет на происходившее, едва ли можно. Что-то в этой «шляпе» было не то, уж очень она запутанная и закрученная.

«Modellhut» — «Модная шляпа», как же еще можно было назвать совершенно секретную операцию, проводимую агентом F-7421 по кличке Westminster, в простонародье Коко Шанель?

Выглядело это якобы так. Устав от безделья и осознав, что такими темпами русские могут погнать немцев обратно до самого Берлина, а потом появиться в Париже на своих танках в фуфайках и шапках-ушанках и под бренчание на балалайке насадить во Франции коммунизм (что могло быть страшней для французского обывателя?), Мадемуазель решила, что пора вмешиваться. Поскольку победить евреев Вертхаймеров не удалось, фирма осталась у них, хотя и числилась за Амью, Шанель занялась политикой.

Точку приложения нашла весьма серьезную — премьер-министра Великобритании Уинстона Черчилля. Но это для других он страшный и важный, а для нее просто «дорогой Уинстон», как Коко звала старинного приятеля в письмах. С Черчиллем Шанель действительно была в дружеских отношениях настолько, что, бывая в Париже (а до войны сэр Уинстон приезжал почти каждый месяц), тот обязательно заглядывал на огонек к подруге или хотя бы звонил, если оказывался уж совсем занят проклятой политикой.

Жан Кокто вспоминал одну из таких встреч уже после объявления войны, когда в апартаментах у Шанель Черчилль, изрядно выпив, сетовал на дурацкую жизнь.

В чем же намеревалась влиять на приятеля Шанель?

Черчилль стал премьер-министром на волне антинацистских выступлений во многом благодаря своему лозунгу «Война до победного конца!». Подразумевалась, конечно, война против Германии и Советского Союза. Не удивляйтесь, в сентябре 1939 года, когда началась Вторая мировая война, Германия и СССР были связаны пактом Риббентропа—Молотова, то есть были... заодно. Не будем разбирать достоинства и недостатки этого пакта, доказывая, что у СССР просто не было другого выхода, сейчас не о том. Для европейского обывателя уже много лет существовал страшный жупел коммунизма, ужасней которого ничегошеньки не было, достаточно послушать иммигрантов, все потерявших после прихода к власти в России этих самых коммунистов!

Предвоенная Европа металась, не понимая, что происходит, вернее, метались обыватели, политики прекрасно понимали. Целью того же Черчилля было просто столкнуть между собой Гитлера и Сталина, а ослабевшего врага взять руками. Гитлер, в свою очередь, надеялся, что Англия и Франция, забыв прежние обиды, помогут ему одолеть Сталина, но западные соседи не торопились, пришлось договариваться с Советским Союзом. А потом Гитлер ввязался в войну на два фронта, чем изрядно порадовал душу того же Черчилля.

Для большинства европейцев это было не столь интересно, они и вовсе не возражали, если бы война шла только на востоке, но когда Германия начала бомбить Лондон, захватила Бельгию, Голландию, оккупировала Францию и объявила, что следующий объект Англия, стало не по себе. Оккупация Франции, что бы о ней ни говорили, ничуть не похожа на оккупацию той же Польши или Греции с Югославией. О Советском Союзе и говорить не стоит, на нашей территории война шла настоящая и безо всяких скидок на гуманность.

В Германии так любили Францию? Ничуть, просто она была нужна Гитлеру тихой и смирной. Пока нужна. Он не мог позволить себе иметь французов врагами, пока не уничтожил Англию, иначе получил бы удар в спину. Но, ввязавшись в войну с Советским Союзом, сил на ниспровержение Англии уже не имел.

В «мягко» оккупированной Франции было, конечно, и движение Сопротивления, и забастовки, и поезда под откос пускали, но основная масса, особенно парижан, оказалась даже довольна установившимся порядком. После предвоенных лет с их демонстрациями, забастовками и уличными столкновениями теперь никто не пытался нарушить спокойствие, во всяком случае, сначала не пытался. И продуктов сначала тоже хватало.

Но шла война, и всем приходилось затягивать пояса

потуже, стало ясно, что два фронта даже мощная Германия не выдержит. А Черчилль по ту сторону Ла-Манша твердил о войне до победного конца! До какого? До уничтожения Германии? Но Шанель (и далеко не только ей) казалось, что это будет уничтожением и Франции тоже! Нельзя допускать, чтобы страшный, ужасный Советский Союз победил Германию!

Шанель ненавидела евреев и коммунистов. Евреев на словах, коммунистов на деле. И если на первых она могла просто ругаться в своем привычном стиле, то ради недопущения в Европу вторых готова и поработать. Из-за ненависти к России (мало кто в Европе называл нашу страну Советским Союзом, она для всех осталась Россией, несчастной Россией, где правят ужасные коммунисты, у которых кровь капает с клыков!) Коко была готова сотрудничать даже с нацистами. Кстати, тогда это вовсе не было «даже», это после победы союзников и прихода к власти генерала де Голля нацизм стали осуждать, а пособников называть коллаборационистами. Годом раньше пронацистская партия Франции насчитывала более 100 000 активных и пассивных членов, а коллаборационистов в Париже было куда больше.

Неприятно читать о ненависти к своей стране? Но слова из песни не выкинешь. Шанель действительно была ярой антикоммунисткой, готовой сотрудничать с Вальтером Шелленбергом и не только с ним ради недопущения власти Советов в Париже. Нет, она не стала бы выходить на улицу с плакатом «Коммунизм не пройдет!» или расклеивать листовки, призывающие вешать коммунистов на фонарных столбах, она вообще ничего не стала бы делать, не будь знакома с Черчиллем.

Если верить Эдмонде Шарль-Ру, Шанель вдруг осенило понимание, что именно она, как никто другой, способна убедить Черчилля не вести войну до победного конца с Германией, а, устранив Гитлера, оставить Германию сильной в противовес России (без парижской кутюрье Черчилль до этого ни за что бы не додумался!). Шанель якобы развила эту идею перед Теодором Моммом, даже вдохновенно изобразив, как будет переубеждать Черчилля и как тот не сможет не понять ценность ее мысли. Премьер-министру Великобритании необходимо объяснить, что в Германии немало высокопоставленных чинов, не согласных с Гитлером, таких, с которыми можно иметь дело, нужно вести переговоры. С немцами, а не со страшным Сталиным, какой бы тот ни присылал коньяк!

Едва ли Шанель знала о ящиках армянского коньяка, поставляемых главой Советского Союза в Лондон, а может, и знала, все же Черчилль мог по-приятельски рассказать о достоинствах русской икры и балыка...

Видно, Шанель была очень убедительна, потому что Теодор Момм поверил в возможность успеха такой авантюры (Эдмонда Шарль-Ру, кажется, и сама не слишком верит в то, что пишет, потому что сцена убеждения Теодора Момма занимает полторы страницы и оставляет ощущение сцены из плохой пьесы захудалого театра).

Биографы версию подхватили: Шанель убедила Момма, тот отправился в Берлин, убеждать... только вот кого?

Теоретически, будучи связанным со Шпатцем, он должен бы отправиться к Канарису, но почему-то предпочел... Министерство иностранных дел. Этих-то почему?! Неизвестно, к другим, наверное, побоялся. Правильно, у Риббентропа хоть нацисты и не лучше остальных, но гадят вежливо, а, не дай бог, попадешь к костоломам мюллеровского гестапо, своими методами живо заставят сознаться даже в убийстве любимой лошади Александра Македонского.

В Министерстве иностранных дел ему не только не поверили, но, видно, восприняли как подставу того же гестапо, правда, сдавать «своим» не стали, просто отмахнулись (я же говорю, интеллигентные мерзавцы). Вот интересно, на фотографии Теодор Момм вполне приличный дядечка, никакого бешеного блеска в глазах, шевелюры огородного пугала, какой иногда отличаются не вполне адекватные люди. Ему жизнь не дорога? Если не дорога своя собственная, хоть Шанель пожалел бы, что ли. Ну ляпнула женщина по наивности глупость, зачем же сразу в Берлин о ней сообщать?

А, кстати, почему сам Динклаге, то есть Шпатц, не поехал? Шкуру берег?

Но Момм оказался настойчивым, не пустили в министерство Риббентропа, отправился... А вот куда теперь? Если в абвер (к Канарису), то это в одну сторону, а если к Шелленбергу, как утверждает молва, то есть в Главное управление имперской безопасности, то совсем в другую. Перепутать сложно, не говоря уже о том, что туда так просто не впустят, на входе пропуск проверят, к кому идешь спросят. У биографов получается замечательно: зашел в коридор какого-то ведомства (случайно оказалось, что в управление имперской безопасности), смотрит, а навстречу ему Шелленберг собственной персоной! Момм ушлый, небось «Семнадцать мгновений весны» несколько раз посмотреть успел, помнил, кто такой этот Вальтер, сразу к нему и обратился.

И Шелленберг, бестия хитрая, даром что кадровый военный, про Шанель все сообразил и решил, что лучшего переговорщика, чем шестидесятилетняя кутюрье, да еще несдержанная на язык, ему не найти. Наплевал на категорические запреты Гитлера вести с кем угодно переговоры о мире, не испугался ни ищеек Канариса, самостоятельно такие переговоры давно ведущего, ни подслушивающих устройств гестапо, натыканных под каждой половицей управления и соседних с ним домов двух-трех кварталов, потребовал:

— А подать мне сюда эту героиню Франции! Лично познакомлюсь, а потом пусть едет на переговоры!

Героиню «подали», то есть привезли в Берлин то ли в декабре 1943 года, то ли в январе 1944-го. Об этом на послевоенных допросах рассказал следователям союзников сам Вальтер Шелленберг, правда, забыв упомянуть, куда поехала потом мадемуазель Шанель. Больше нигде пребывание Коко в Берлине 1943 года не зафиксировано, ее горничная, вспоминавшая более позднюю поездку в Мадрид, ни сборов в Берлин, ни рассказов Шанель о поездке, ни ее отсутствия не помнит вообще. Сама Шанель утверждала, что в Берлине никогда не была (в этом тоже усмотрели злостное намерение скрыть правду). Интересно, что датой визита Шанель к Шелленбергу считается зима 1943—1944 года, а сам Вальтер на допросах говорил, что она приезжала в марте. Следователи решили, что шеф разведки немного ошибся (с кем с перепугу не бывает?).

Биографы Шанель на разные лады расписывают ее поездку и особенно страсти о кабинете Вальтера Шелленберга. Откуда взято, если никто не знает точно, была или не была и когда это происходило? Из мемуаров Шелленберга, которые тот очень точно назвал «Лабиринтом». Поистине лабиринт. Нет, в них не про визит старой дамы, а о кабинете. Шелленберг словно мальчишка расписал все прелести своего «логова», похвставшись даже ампулой с цианистым калием в пломбе зуба, мол, когда куда-то выезжал, обязательно надевал коронку с ядом. Ценная, знать, фигура, не меньше агента 007.

Не произвести впечатления на Шанель Берлин зимы 1943—1944 года не мог. Дело в том, что в ноябре начались постоянные бомбардировки города союзниками.

Вот выдержки из книги А.Н. Алябьева «Хроника воздушной войны: Стратегия и тактика. 1939—1945».

«24 ноября 1943 г.

Штаб-квартира Королевских ВВС передает:

«В прошедшую ночь Берлин вновь стал целью большого налета Королевских ВВС. На этот раз атака была сконцентрирована на трех важных объектах в западной части столицы: Вестэнд, вокзал Цоо и вокзал Шарлоттенбург. Ночь была ясной, и только редкие облака мешали порой обзору, поэтому немецкая противовоздушная оборона была в более выгодном положении, чем прошлой ночью. С расстояния 50 километров экипажи уже с понедельника могли видеть многочисленные пожары, а над Берлином разрушенные части города: весь городской комплекс вокруг Вильгельмштрассе, квартал, окружающий Бранденбургские ворота и Тауентциенштрассе, Потсдамерплац, Анхалтерштрассе и много других полностью разрушенных улиц. В ночь на среду сильнее, чем в предыдущие налеты, пострадала западная часть Берлина. Во второй половине дня в среду «Москито», находящиеся над Берлином, сообщили, что видят в городе более 200 больших пожаров».

«Лорд Шервуд, помощник госсекретаря в министерстве авиации, дал следующие пояснения по поводу воздушной войны против Германии:

«В свое время Берлин отдал приказ сровнять с землей Варшаву, Роттердам и Белград. В своем азарте они даже снимали об этом документальные фильмы, чтобы увековечить великие деяния люфтваффе. Теперь пришло время платить по счетам той же монетой. Крокоди-ловы слезы в глазах у многих немцев не могут вызвать никакого сострадания. Удары, которые получила Германия, — это всего лишь справедливое наказание за преступления, которые Третий рейх совершил против малых народов, незащищенных городов и меньшинств во многих государствах. Есть только одно обещание, которое мы можем дать Германии: мощь наших ударов будет нарастать до тех пор, пока не будет уничтожен военный потенциал нацистского режима».

«Вторник, 21 декабря 1943 г., Лондон, штаб-квартира Королевских ВВС сообщает: «В ночь на вторник около 1000 тяжелых бомбардировщиков выполняли операции над Франкфуртом-на-Майне, Мангеймом, Людвигс-хафеном и некоторыми другими промышленными городами южной Германии. На Франкфурт, главную цель налета, за 40 минут было сброшено 2200 тонн взрывных и зажигательных бомб. Эскадрильи находили свои цели с помощью наводчиков, которые метили их осветительными бомбами. Наземная противовоздушная оборона и более ста ночных истребителей пытались отогнать бомбардировщики от Франкфурта, но плотные облака мешали им это сделать. Через 20 минут после начала налета на воздух взлетел предположительно главный газовый завод города. Детонацию можно было почувствовать на высоте почти 6000 метров. Одно из звеньев сумело пролететь под очередями зениток и затем прошло над главным вокзалом и Кайзерштрассе на высоте 300 метров, которые после этого превратились в огненное море».

С ноября 1943 года бомбардировки Берлина стали почти ежедневными, вернее, еженочными, разрушений было действительно много, зима 1943—1944 года для берлинцев стала настоящим потрясением. Сами они сокрушенно признавали, что пришел их черед узнать, что такое война на своей земле.

Как только объявлялась воздушная тревога, обыватели спешили в метро, служившее убежищем. Потом бегать туда-сюда надоело, и многие перебрались вниз со своими вещами, матрасами, чемоданами, свечами, вещами первой необходимости. Витрины магазинов и элитных ресторанов забили досками, на улицах бесконечные проверки документов, берлинцы мрачно шутили, что скоро не останется никаких машин, кроме пожарных и гестаповских.

Германия почувствовала, хотя пока и в малой степени, что такое вообще война, которая не парадные марши и реляции, а гибель, кровь, страх.

В Париже такого не было, поэтому если Шанель в Берлине побывала, то не запомнить никак не могла. Кое-где встречается замечание, что она попала под бомбежку и всю ночь провела в убежище. А разрушенный собор и немало других важных зданий не видела?

Да была ли она там вообще, ведь, кроме Шелленберга на допросах, никто об этом не говорил.

Ну ладно, допустим, была Шанель в до зубов вооруженном кабинете Шелленберга, соблазнял он ее страстями с цианистым калием, а она его женской прелестью (в шестьдесят лет, притом что через полгода офицер британской разведки Малкольм Маггеридж писал, что Коко показалась ему очень старой и почти бесплотной). Взаимно соблазнили... Куда же отправил свою новую «любовь» Вальтер Шелленберг? Нет, он не стал давать пузырьков с бактериологическим оружием, как дал ему самому в 1941 году для уничтожения своего личного врага Отто Штрассера Гитлер. Шелленберг согласился с предложением Шанель навести мосты с Черчиллем при помощи английского посла в Мадриде Сэмюэля Хора.

Но речь не шла о прямых контактах с Черчиллем, почему-то этого упорно не замечают все, кто пишет о «Модной шляпе»! В Мадрид Шанель ехала ради установления контактов с английским послом сэром Сэмюэлем Хором, которого знала задолго до войны.

Сэмюэль Хор для нас интересен не только тем, что был английским послом в Испании и разведчиком, а также за пять лет до прихода к власти Муссолини завербовал и его, как агента МИ-6. Хор был тем самым резидентом английской разведки, который помог укокошить Григория Распутина! В одной из версий убийства Старца утверждается, что именно сэр Сэмюэль сделал контрольный выстрел в лоб, чтобы Распутин угомонился. Мир поистине тесен...

Сэмюэль Хор был разведчиком весьма активным и, похоже, вербовал всех попадавшихся по пути. Будущего дуче соблазнили 100 фунтов в неделю, что было весьма неплохим подспорьем для небогатого начинающего политика. Как МИ-6 допустила позже союз Италии с Германией... Но это нас не касается.

Другое дело: откуда Шанель знала Сэмюэля Хора, вернее, в качестве кого он знал ее саму? Ну как не вспомнить подозрения французской полиции и весьма бестолковое наблюдение за четой Ломбарди и Габриэль Шанель. Может, французы не так уж и неправы в своих подозрениях? О Вере Бейт (Ломбарди) и ее супруге будет рассказано подробно, а пока вернемся к Сэмюэлю Хору и Вальтеру Шелленбергу.

Шелленберг старался установить контакт с английским разведчиком еще с июля 1942 года, еще через Макса Гогенлоэ, который помогал всем и во всем, стоило лишь заплатить. Возможность сделать это при помощи Шанель показалась ему заманчивой.

Отбросим в сторону чисто шпионские и имперские страсти и попробуем посмотреть на все с обывательской стороны. У Шелленберга была красавица жена Ирэн, даже если сам Вальтер ни черта не смыслил во взаимоотношениях светского общества Европы (хотя мог бы и поинтересоваться персоной Шанель, готовясь к встрече с ней), то для Ирэн-то имя Шанель не было пустым звуком, ее наряды носили и в Германии тоже, ее духами пахли многие немецкие женщины, и фотографии Мадемуазель рядом с самым богатым человеком Англии и с Уинстоном Черчиллем появлялись на страницах не только английских и американских газет. Перед войной Шанель была личностью в Европе достаточно известной, чтобы о ее жизни знали широкие круги, по крайней мере дамские.

Да и сам Шелленберг должен бы выяснить, что не простая болтовня ее знакомство с Черчиллем. Тогда зачем Сэмюэль Хор? Зачем городить огород с Мадридом, привлекая массу посторонних людей, что для разведки и тайных переговоров смертельно опасно? Почему нельзя отправить Шанель не к Хору с письмом для Черчилля, а прямо к Черчиллю в тот же Тунис? Или вообще в Лондон, из Мадрида — туда в случае необходимости плавали спокойно. Почему нужно совершать руками и ногами немыслимые пассы, если можно просто дать противнику кулаком в зубы?

Но Шелленберг с Шанель предпочли как можно сложнее.

Шанель выписали документы как агенту (почему-то абвера), присвоили кличку Вестминстер и выделили сопровождающих — Вофленда и Момма. Ее задача — передать письмо Черчиллю, используя свое знакомство с Сэмюэлем Хором. О чем? А это все равно, главное, чтобы было.

Наверное, Шанель не щелкала каблуками «Яволь,

мой бригаденфюрер!», но поспешила выполнять порученное благое дело.

Дальше вовсе чепуха. Прибыв в Париж, Шанель почему-то решила, что без своей старинной подруги Веры Ломбарди (Бейт) ни написать письмо, ни отдать его Хору никак не сможет. Дело осложнялось тем, что Вера Ломбарди, когда-то работавшая у Шанель в Париже, давно жила в предместье Рима, потому что ее муж Альберто был итальянским офицером. Но в Италии происходили свои сложные события (Муссолини сбросили, Отто Скорцени даже пришлось выручать незадачливого дуче из тюрьмы), полковник Ломбарди был вынужден скрываться где-то на юге страны, а Вера переживать дома в одиночестве.

Зачем Шанель, которая была с Ломбарди в ссоре с 1937 года, когда с треском уволила ее, понадобилось тащить Веру сначала в Париж, а потом в Мадрид, думаю, никто объяснить не возьмется. При этом о сути поездки самой Вере Ломбарди ничего не сообщалось.

Считается, что в Рим пришло письмо от Шанель с приглашением помочь ей открыть новый бутик в Мадриде. Вера взбрыкнула, как истинная патриотка Англии, она никак не могла оставить Италию в столь сложный момент! Ответ был резким: «Не поеду!» Что, вы думаете, сделали в ответ немцы? Они арестовали Веру, бросили ее почти в застенок, пытать, правда, не стали (чтобы не попортить красоту, которая могла еще пригодиться), но семь дней почти поедом ели, чтобы согласилась наконец выехать в Париж.

Жестокости гестапо всем известны, и не захочешь, а станешь совершать приятную поездку. Ломбарди отправилась в Париж, а потом вместе с Шанель в Мадрид. Конечно, Вера Ломбарди заподозрила свою подругу в связи с нацистами и, попав в Мадрид, при первой же возможности отправилась в английское посольство жаловаться на предательницу.

Самое интересное, что туда же отправилась и Шанель, в результате дамы столкнулись у выхода! Шанель пришлось рассказать Вере о смысле поездки.

Остается вопрос: Шанель уже успела передать письмо? Похоже, да. Что же было в этом письме? Оно сохранилось, часть текста я приведу в рассказе о Вере Бейт-Ломбарди, но суть такова: дорогой Уинстон, помогите нашей общей знакомой Вере Ломбради, которая оказалась в сложной ситуации, живя в Италии, я вытащила ее из немецкой тюрьмы, а дальше уж вы, пожалуйста...

Странные какие-то шпионские страсти у этой Шанель!

Но из-за доносительства Веры операция «Модная шляпа» оказалась провалена, всех вернули по своим местам. Вернее, Шанель, Момм и Вофленд отправились в Париж, а Вера предпочла сбежать. Она долго пребывала в Мадриде, потому что обратно в Италию ее ни немцы, ни союзники не пустили, каждый считал Ломбарди опасной личностью.

Вот и все.

Все?!

Это что, шутка? А как же многолетняя шпионская деятельность в пользу нацистской разведки?! Где преступления против человечества? Где пособничество нацистским гадинам во Франции и в Испании? Где длинный список выданных ею патриотов, явок, паролей, шифров, рассказы о перестрелках или переодеваниях в японскую гейшу ради конспирации? Какой же шпион без шпионских страстей? Где погони, преследования, противостояние с контрразведкой, выпрыгивание из поезда на ходу, сидение больше двух часов под водой, не дыша, знание восьми языков, нескольких способов укладки парашюта, работа с рацией? Где вот это все: «Алекс — Юстасу», «Юстас — Алексу»?

Какого... было накалять шпионские страсти, если все вылилось в совершенно безобидное письмо Черчиллю, не имеющее ни малейшего отношения ни к разведке, ни к Шелленбергу, ни к Германии вообще?

Кто кого одурачил — Шанель Шелленберга, Шелленберг Шанель, Черчилль их обоих или они все вместе взятые нас всех вместе взятых?

Лично у меня ощущение последнего.

А ведь все, ну все свидетельствует, что Шанель была агентом немецкой разведки, только вот какой?

А теперь внимательно.

Hal Vaughan (Хэл Воган), «Sleeping with the enemy. Coco Chanel, Nazi agent» («В постели с врагом. Коко

Шанель нацистский агент»). Издано в Лондоне Chatto&Windus, 2011 г.

Стр. 140, иллюстрация, сообщающая, что мадемуазель Шанель присвоен номер F-7124 и код Westminster, как агенту абвера, что подтверждает и подпись под иллюстрацией. На самой фотографии слабо проглядывается какой-то штамп с датой 3 (или 13) марта (или мая) 1944 года. Это штамп то ли учета документа, то ли присвоения самого номера.

В любом случае странно.

Еще раз внимательно: агент АБВЕРА!

Согласно общепринятой версии, Шанель бывала в Берлине в декабре 1943 — январе 1944 года, но уж никак не позже весны, потому что 6 июня уже был открыт Второй фронт. Кто командовал абвером в это время? Вернемся на некоторое количество страниц назад и вспомним «хитрого лиса» Канариса. Да-да, именно он, которого после уничтожения Гейдриха Главное управление имперской безопасности в покое не оставило и под которого ежечасно, ежеминутно копал знакомый нам Шелленберг. Канариса «свалили» летом 1944 года, после чего Шелленберг остался «разведывать» в одиночку.

Так каким агентом была мадемуазель Шанель, на кого работала?

На протяжении многих страниц Воган утверждает, что ее наставник барон Луис Вофленд (Baron Louis de Vaufreland) верой и правдой служил абверу, был агентом, вербующим новеньких. При чем здесь Шелленберг, который абвер на дух не переносил? И даже если пове-

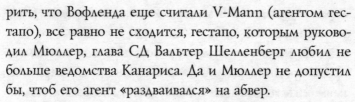

рить, что Вофленда еще считали V-Mann (агентом гестапо), все равно не сходится, гестапо, которым руководил Мюллер, глава СД Вальтер Шелленберг любил не больше ведомства Канариса. Да и Мюллер не допустил бы, чтоб его агент «раздваивался» на абвер.

Интересно, как присваивали номера агентам абвера, просто «россыпью» или по порядку? Едва ли по принципу «какой подвернется», компьютеров у тех, кто вел картотеку, не было, можно и запутаться, присвоить один номер двоим сразу. Скорее всего, действительно по порядку, по мере оформления документов, во всяком случае, так логичней.

Но если это так, то странная ситуация, у «новенькой» Шанель номер F-7124, а у завербовавшего ее, то есть «старенького» Вофленда, имевшего кличку Piscatory (Рыбак) — F-7667. Так кто кого старше или завербовал?

В многочисленных публикациях сплошные страсти: Шанель много лет была нацистской шпионкой, выполняла многочисленные задания абвера, работала на Шелленберга.

Не будем снова о том, что абвер и Шелленберг не одно и то же, и о том, что едва ли может считаться многолетним стаж с декабря 1943 года (а может, и с марта 1944-го) по июнь 1944-го. А какие задания, кроме неудавшейся «Модной шляпы», которая шпионажем не пахла?

Кто ж его знает, но документ — главное, раз был документ, значит, были и задания! Главное — бумажка, а она свидетельствует, что Шанель злостная преступница мирового масштаба! Если хорошенько подумать, все можно найти. «Шляпой» назвали не зря? Конечно! А не была ли ее переделка шляп для французских дам тем самым сверхсекретным заданием? Отвлекающий маневр — не иначе, ведь задумавшись о своих дамах в необычных шляпках, французы могли запросто проглядеть стратегические планы нацистов. Бред? А чем лучше обвинения в шпионской деятельности шестидесятилетней женщины, которая жила в боковом крыле отеля «Ритц», носа не высовывая всю войну? Обвинения только на основании того, что отель все же был «Ритц», а не какой-нибудь заштатный.

И все же не так все просто...

Клаус Харпрехт в предисловии к мемуарам Вальтера Шелленберга «Лабиринт» писал:

«Я вспоминаю, как однажды, беседуя со мной в парке отеля в Палланце, Шелленберг внезапно запнулся и понизил голос: навстречу нам шла пожилая жена садовника, только и всего. Шелленберг прошептал: «Французы всегда охотно использовали пожилых женщин в качестве агентов...»

Нет дыма без огня? Возможно...

А что думал по этому поводу тот, ради контакта с которым городили такой огород? Неизвестно, Черчилль не раскрывал своих секретов, хотя письма, написанные сначала Шанель, а потом Верой Ломбарди, сохранил, они помогут пролить кое-какой свет на ситуацию.

ОБАЯТЕЛЬНЫЙ СЭР УИНСТОН ЧЕРЧИЛЛЬ

Политика или дружба?

___

Бывший премьер-министр Великобритании, ныне отошедший от дел, сэр Уинстон Черчилль со вздохом отложил в сторону перо и задумчиво уставился в окно на морскую гладь, отражающую солнечные лучи. Все же Французская Ривьера хороша в любое время года, ну... почти в любое. И вилла «Ла Пауза» тоже расположена удачно, отсюда прекрасный вид на море.

Весной 1959 года сэр Уинстон гостил у своего издателя Венди Ривза, купившего эту виллу у первой ее владелицы Габриэль Шанель, которую все звали Коко, а теперь великой Мадемуазель. Шанель построила «Ла Паузу» в 1929 году, чтобы ее тогдашнему любовнику Вендору, герцогу Вестминстерскому, было где писать пейзажи.

Старинный приятель Черчилля герцог Вестминстерский, или попросту Бенни, увлекся живописью по примеру Уинстона. Но у Черчилля получилось лучше, его в 1948 году даже избрали Почетным членом Королевской академии искусств Великобритании, причем за картины, подписанные именем Дэвида Винтера.

Только что супруга сэра Черчилля сообщила, что его персональная выставка 62 картин в Лондоне проходит с невиданным успехом. После аншлага в США последовал такой же на родине.

Клементина писала, что число посетителей выставки уже перевалило за 100 000, причем никто, даже скептики-специалисты, не обзывали творчество Черчилля мазней. Напротив, говорили, что если бы он занимался больше живописью, чем политикой, то вполне мог составить конкуренцию импрессионистам.

Черчиллю очень хотелось оторваться от редактирования последнего тома «Истории англоязычных народов», ради чего, собственно, он и приехал к Ривзу в «Ла Паузу», и отправиться на берег с мольбертом. Но сейчас сэр Уинстон задумался не о мольберте с красками и даже не об обожаемой супруге Клемми, а о первой владелице виллы великой Мадемуазель Коко Шанель.

Удивительная женщина, необычная во всем, сумевшая переделать мир под себя, и даже теперь, в семьдесят пять, не знающая покоя. Франция не оценила Мадемуазель, вернее, не простила ей военных лет. Именно об этих годах и размышлял сейчас Уинстон Черчилль, задумчиво глядя в окно прекрасной виллы, построенной Коко Шанель.

Что же такого натворила Мадемуазель во время

войны, что французы навсегда занесли ее в черный список, забыв, что совсем недавно почитали как богиню?

Это не грешки молодости, которые можно списать на недомыслие. Когда фашисты оккупировали Францию, Коко Шанель было пятьдесят шесть, а когда она вообразила себя нацистским агентом и миротворицей мирового масштаба, и вовсе шестьдесят. Мадемуазель отличалась острым умом, не менее острым языком и запредельной самоуверенностью.

Однажды леди Астор, желая уколоть Черчилля, во время обеда вдруг громко заявила:

— Если бы я была вашей женой, то всыпала бы в ваш бокал яд.

Черчилль согласно кивнул:

— Если бы я был вашим мужем, я бы этот яд выпил.

Нет, из-за Коко Шанель Черчилль травиться бы не стал, но и жить вместе тоже. Женщина, способная швырнуть в воду залива огромный изумруд только потому, что его преподнес изменивший любовник, слишком расточительна. Он вообще не думал о Шанель как о женщине, у Уинстона была его обожаемая Клементина. А вот выходку Мадемуазель 1944 года, едва не стоившую позже ей если не жизни, то свободы, забыть не мог, хотя прошло уже почти пятнадцать лет.

Когда Уинстон Черчилль после Тегеранской конференции свалился сначала с воспалением легких, а потом еще и с серьезным сердечным приступом в Карфагене и долго выздоравливал в любимом Марракеше, представитель английского посольства в Мадриде сообщил, что с ним ищет контакт небезызвестная Коко Шанель, которая, согласно доносу Веры Ломбарди, урожденной Аркрайт, является... агентом немецкой разведки! Черчилль несколько мгновений с изумлением смотрел на офицера, а потом помотал головой:

— Нет.

— Сэр, вы не верите, что мадемуазель может помогать немцам?

— Я не верю, что немцы столь неосторожны, чтобы ввязаться в это.

Довольно скоро Черчилль через свои службы знал все, что нужно было знать и о поведении Коко в эти годы, и о ее контактах. Конечно, от встречи он отказался и на письмо не ответил. Уинстон не сомневался, что его старинная приятельница, с которой когда-то вместе ловили форель в холодной реке Твид в имении герцога Вестминстерского, не способна вредить осознанно, если Коко Шанель во что-то и влипла, то лишь потому, что не умела сидеть спокойно.

А как было в действительности?

Представлять сэра Уинстона Леонарда Спенсера Черчилля как политика и государственного деятеля смысла нет, даже самые неискушенные в политике люди помнят имя премьер-министра Великобритании прежде всего как участника Тегеранской конференции 1943 года. Даже если совершенно не помнят, о чем там собственно шла речь, знают, что встречались Сталин, Рузвельт и Черчилль и договорились об открытии Второго фронта.

Уинстон Черчилль фигура столь знаковая, что забыть этого обаятельного толстяка с непременной сигарой во рту невозможно. И всем известны его пристрастия к кубинским сигарам, армянскому коньяку и афористичному мышлению. И впрямь сэр Уинстон оставил немалое количество метких высказываний, могущих составить целый том, он обладал прекрасным чувством юмора и умел быть скептичным по отношению к себе самому.

«По свету ходит чудовищное количество ложных домыслов. И самое страшное, что половина из них — чистая правда!»

Эта фраза сэра Черчилля в первую очередь относилась к нему самому. Но если всего лишь половина из рассказов о нем правда, и тогда Уинстон личность примечательная. С Шанель Черчилля роднил стопроцентный эгоцентризм. Как и Мадемуазель, Уинстон был убежден, что его желания и нужды должны удовлетворяться в первую очередь. «Я легко довольствуюсь самым лучшим» — эта фраза премьер-министра Великобритании способна заменить половину бродивших о нем домыслов.

Фельдмаршал Монтгомери, видно, желая подчеркнуть свое отличие от Черчилля, как-то сказал в его присутствии:

— Я не пью и не курю, а потому здоров на все сто!

Черчилль тут же парировал:

— А я пью и курю и здоров на все двести!

Вообще, он утверждал, что взял от выпивки куда больше, чем она от него.

— В моем понимании хороший обед — это хорошая еда, потом обсуждение хорошей еды во всех деталях, а потом беседа, в которой я выступаю в роли главного блюда.

Его рецепт долголетия (Черчилль дожил до 90 лет) был прост:

— Никогда не опаздывайте к обеду, курите гаванские сигары и пейте армянский коньяк.

Его пристрастие именно к армянскому коньяку... спасло человеку жизнь. Армянский коньяк «Диван» Черчиллю в избытке поставлял Сталин. Но однажды Черчилль посетовал, что коньяк стал каким-то безвкусным. Сталин распорядился узнать, в чем дело. Оказалось, что на Ереванском заводе исчез главный технолог Маргар Сердакян, за какие-то «не те речи» его отправили валить лес в Сибирь. Почему без главного технолога тот же купаж составлять не могли, Иосиф Виссарионович разбираться не стал. Сердакяна с извинениями немедленно вернули, и коньяк снова стал безупречным. Думаю, лес отправились валить те, кто оказался повинен в испорченном застолье премьер-министра Великобритании. Надо знать, чьи речи можно подслушивать, а чьи нет.

Черчилль составил короткую, но емкую инструкцию по потреблению хорошего коньяка:

«С хорошим коньяком нужно обращаться как с дамой. Не набрасываться! Помедлить... Согреть в своих ладонях... И лишь затем пригубить».

Дамы, вам не захотелось оказаться в опытных руках сэра Уинстона Черчилля? Даже если нет, то, признайтесь, мелькнула мысль о том, как мало мужчин применяют такой рецепт (вы ведь подумали о себе, а не о коньяке, правда?).

Черчилль ценил не только коньяк, он вообще ценил удовольствия, получаемые от чревоугодия. Сталин поставлял ему в том числе и достаточное количество икры. Однажды в 1941 году во время встречи с президентом Рузвельтом он, открывая присланную Сталиным банку черной икры, буквально зажмурился при ее виде от удовольствия:

— Да, неплохо иметь такую закуску, даже если для этого приходится воевать на стороне русских.

По утверждению биографов, за двадцать лет до смерти Уинстон Черчилль бросил пить и курить. Считается, что именно поэтому он все же дотянул до такого возраста, ведь раньше сэр Уинстон выпивал помимо обязательного шампанского за обедом и ужином еще и бутылку коньяка за день. Но фотографии последних лет жизни неизменно показывают совсем иное: Черчилль всегда с сигарой в руке и часто с полным бокалом коньяка. Однако если присмотреться, то можно заметить, что сигара незажжена, а бокал нетронут. Черчилль просто демонстрировал, что он еще ничего... Что он по-прежнему бодр и весел, полон сил и способности шутить. А шутить сэр Уинстон умел, его чувство юмора поистине достойно восхищения.

На Рождество потребовалось разрезать непременного гуся. Огромный, покрытый аппетитной румяной корочкой гусь торжественно возлежал на блюде, вызывая своим видом и запахом обильное слюнотечение у всех собравшихся. Разделить птицу на куски решил сам хозяин. Тоже с вожделением сглатывая слюну, он уже занес над кулинарным шедевром нож и вилку, и тут кто-то из домочадцев заметил, что гуся не покупали, это один из постояльцев Чикенгемского дворца, как Черчилль называл построенный своими руками курятник.

Руки Уинстона замерли, а потом опустились, не дотянувшись до гуся. Черчилль сокрушенно вздохнул:

— Простите... но я едва ли смогу съесть птицу, с которой был знаком лично. Он, можно сказать, был моим другом...

После столь проникновенного панегирика погибшему гусю праздничное блюдо было отправлено на кухню нетронутым.

На праздновании своего 75-летия Уинстон Черчилль вдохновенно заверил поздравлявших:

— Я-то готов к встрече с Творцом. А вот готов ли Творец к такому тяжелому испытанию, как встреча со мной...

Судя по всему, нет, потому что позволил сэру Черчиллю радоваться земной жизни еще пятнадцать лет.

Уинстон любил многое, в том числе живопись, причем любил не только разглядывать картины, но и создавать их сам. Впервые он взял в руки кисть в 1915 году, когда переживал сильнейшую депрессию после политического провала. В жизни Черчилля было столько взлетов и падений, но потомки справедливо запомнили именно то, ради чего он и пришел в политику: без Черчилля едва ли состоялся бы Второй фронт, во всяком случае, был бы открыт гораздо позже. И неизвестно, как вела бы себя Англия вообще, не окажись у ее руля с началом Второй мировой войны сэр Уинстон.

Черчилль взял в руки кисти, чтобы забыться, и не рисовать больше не смог. При любой возможности, в любых условиях он садился с палитрой к мольберту, сосредоточенно вглядывался в пейзаж, который намеревался отобразить на холсте, и начиналось священнодействие.

Когда лондонский представитель издательского дома «Time-Life» с изумлением поинтересовался: «Сэр, и когда вы только находите время, чтобы заниматься живописью?» — Черчилль скромно пожал плечами:

— Все очень просто. У гения много талантов.

Специалисты всерьез говорили о том, что, уделяй сэр Черчилль больше времени живописи, чем политике, он вполне мог составить конкуренцию профессиональным современным художникам. За все время Черчилль написал 500 картин, которые покупаются коллекционерами за немалые деньги не только потому, что созданы великим политиком, но и потому, что написаны с чувством и довольно умело.

Уинстона Черчилля Шанель знала со времен рыбной ловли в Лохморе или Стак-Лодже. Они вместе бывали не только в поместьях Вендора, но и на скачках, приемах, встречались в «Ла Паузе», охотились в Мимизане, перед войной Черчилль очень часто бывал в Париже и почти обязательно заглядывал на огонек к приятельнице.

Никаких оснований считать, что Вера Ломбарди (Бейт) была ближе знакома с Черчиллем, чем сама Коко, нет. Возможно, когда-то это так и было, но после расставания Шанель с герцогом Вестминстерским они с Уинстоном не стали меньше дружить, скорее, наоборот.

До войны каждый занимался своим делом: Черчилль политикой (не вполне успешно, поскольку был в отставке), Вендор тратой денег и развлечениями (успешно, потому что хорошо умел это делать), Шанель созданием новых коллекций (вполне успешно, потому что была № 1 уже не только в Европе), Вера Ломбарди в Риме со своим мужем (про успешность не могу сказать, потому как не знаю чем). И каждый из них шпионажем? Вполне возможно...

Почему Черчилль, который вовсе не был склонен дружить со Сталиным, пошел ему навстречу? А у него не было другого выбора. Черчилль долго был вне политики, не востребован, и к власти снова пришел только на волне противостояния Германии, когда Чемберлен вынужден был признать крах политики заигрывания с Германией.

К моменту приезда двух приятельниц в Мадрид с миротворческой миссией, уже состоялась знаменитая Тегеранская конференция, был решен вопрос об открытии Второго фронта, заднего хода у Черчилля просто не было. Да если и был, то не с Шелленбергом он стал бы договариваться, и без мальчишки-Вальтера люди нашлись, с самого первого дня были.

Но почему бы не объяснить все Шанель толком? А она об этом просила? Коко передала письмо: помогите Вере Ломбарди, ее в Италию не пускают. Письмо попало к Черчиллю ближе к середине января, но он вмешиваться не стал. С февраля Вера начала бомбардировать премьер-министра письмами и сама, потом переключилась на его дочь. В конце концов, пришлось ответить через дочь, чтобы сидела тихо и ждала освобождения Италии.

Вера умерла в 1948 году, Шанель пережила Черчилля, но встречались ли они когда-нибудь? Сразу после войны в 1946 году Коко ездила в Лондон, явно встречалась с Вендором. Больше не известно ничего.

Во всяком случае, после продажи виллы «Ла Пауза» издателю Черчилля Ривзу бывший уже премьер-министр бывал там частенько, он оценил прекрасный выбор своей беспокойной приятельницы, с виллы открывался великолепный вид на море, там очень хорошо писались и книги, и картины.

А вот за всю войну Черчилль написал лишь одну картину «Закат в Марракеше», которую подарил Рузвельту, вместе с которым этот закат и видел. Сталину он не подарил ничего даже в ответ на постоянные поставки армянского коньяка и черной икры.

ЗНАКОМЬТЕСЬ: ВАЛЬТЕР ШЕЛЛЕНБЕРГ

Очаровательный нацист с замашками агента 007

***

Кто в России (бывшем Советском Союзе) не видел «Семнадцать мгновений весны»? Пожалуй, только те, кто телевизор не смотрит вообще.

Кто не помнит Вальтера Шелленберга в исполнении очаровательного Олега Табакова? Очень, кстати, похожего на настоящего Шелленберга, но только годами этак пятью раньше. К концу войны от бывшего Вальтера осталась в ширину всего половина, он был измучен недосыпами, а еще смертельной болезнью.

11 апреля 1949 года председатель суда Нюрнбергского военного трибунала Уильям Кристиансон озвучивал приговор по «Делу Вильгельмштрассе». Такое название дело военных преступников Третьего рейха получило потому, что большинство административных зданий в Берлине располагалось именно на Вильгельмштрассе.

Подсудимыми проходили чиновники высокого класса на уровне послов, министров, начальников различных управлений. Из 21 обвиняемого двое оправданы, остальные получили сроки от трех до двадцати пяти лет (большинству они позже были снижены).

Один из обвиняемых — Шелленберг Вальтер Фридрих — начальник VI управления Главного имперского управления безопасности (внешняя разведка), бригаденфюрер СС, генерал-майор полиции, генерал-майор войск СС — на оглашении приговора не присутствовал. Совсем недавно ему сделали тяжелую операцию на желчном пузыре, и Шелленберг имел все шансы вообще не узнать, к чему же его приговорили.

Наверняка во время основного процесса в Нюрнберге, где он проходил свидетелем (там судили рыбу покрупнее), и во время второго — «Дела Вильгельмштрассе» Шелленберг чувствовал себя не слишком уютно не только из-за тяжелой болезни, через несколько лет сведшей его в могилу. С одной стороны, вовсе не хотелось угодить в петлю американского палача, как Геринг, а потому Вальтер отчаянно цеплялся за любую возможность принизить собственную роль, свести ее всего лишь к разведдеятельности, причем далеко не всегда удачной. Если честно, удалось, хотя нельзя быть уверенным, что это не так в действительности.

А на втором процессе сидящий на задней скамье рядом с теми обвиняемыми, которых он вовсе не считал себе ровней, Шелленберг должен был раздваиваться между желанием громко крикнуть, что он здесь главный, и опасениями получить после этого срок в двадцать пять лет. Удержался, дали всего шесть, считая с 1945 года.

Отсидев, вернее, отлежав в больничных палатах пять лет и чуть придя в себя после операции, Шелленберг обратился с просьбой о помиловании по медицинским показаниям, что и было сделано. Уже стало ясно, что никакие операции Вальтера не спасут, умирать ему позволили, где захочет.

Захотел в Швейцарии.

Выйдя на свободу, Шелленберг предложил бернскому издательству Шерца выпустить свои воспоминания. Началась подготовка мемуаров к печати, смертельно больной Шелленберг, чувствующий, что осталось совсем немного, торопился. Но швейцарские власти предпочли не иметь на своей территории нацистского преступника, даже полуживого. Вальтера вежливо, но настойчиво попросили покинуть страну.

Он далеко уезжать не стал, перебрался из Локарно в маленький городок Палланцу на берегу того же озера Лаго-Маджоре, то есть в Италию. Есть версия, что виллу предоставила (или даже купила) опальному разведчику сама Коко Шанель. Видимо, туда же приехала и супруга Шелленберга Ирэн с пятью (!) детьми.

Но завершить работу Шелленберг не успел, ее прервала смерть в марте 1952 года.

И все же мемуары вышли. Ирэн Шелленберг вернулась в Германию и предложила опубликовать записи мужа уже немецкому издательству. Дальше начались «скитания» рукописи по белу свету. У немецкого издательства права выкупило английское, серьезно над записями «поработало», в результате чего они основательно похудели, особенно в той части, которая как-то касалась контактов Шелленберга с англичанами. Если в мемуарах и было упоминание операции «Модная шляпа», то именно в то время оно исчезло.

В 1956 году вышло английское издание, позже появились немецкое, французское, выпустили свой вариант и американцы, докатилось и до России.

Что можно почерпнуть из этих мемуаров, вышедших у нас под названием «Лабиринт»? Вообще-то немного, потому что Шелленберг писал про себя и для потомков, явно раздираемый все теми же противоречивыми желаниями — с одной стороны, продемонстрировать свою значительность (иногда ну просто как мальчишка!), с другой — не перестараться, чтобы еще раз не угодить на скамью подсудимых или не навредить многочисленной семье.

Самое интересное в мемуарах — это сам Шелленберг. Если то, что он пишет, правда, то диву можно даться, как такого школяра поставили руководить мощнейшим аппаратом мощнейшего государства.

Шелленберг сделал головокружительную карьеру, которой имел основания гордиться. Родился в 1910 году в Саарбрюккене, страстно желая выбиться наверх, избрал для себя юриспруденцию и в 1933 году окончил Боннский университет. Еще будучи студентом, Вальтер по совету своего преподавателя вступил в ряды НСДАП, совет был верным, без принадлежности к пришедшей к власти партии юристу карьеры не сделать. Лекции молодого юриста привлекли внимание Гейдриха, и тот пригласил Шелленберга к себе на работу. Так Вальтер попал в Главное управление имперской безопасности.

Молодому человеку поручали ответственные «штучные» задания, что не могло не заставить его гордиться успехами. Если посмотреть фотографии Шелленберга той поры, хорошо видно, как фактически юнец (на снимке 1933 года ему не только двадцати трех лет не дашь, но и восемнадцати тоже) превращается в весьма уверенного в себе чиновника. Но это все наносное, показное, в действительности на всех снимках Вальтер глазами ест начальство, глядя на того же Гейдриха так, словно готов влезть в рот, дабы не пропустить и слова. А вот на фотографа для документов смотрит уже почти снисходительно, как же, он разведчик непобедимый и непотопляемый, выполняющий личные задания фюрера! Его губы всегда чуть искривлены усмешкой, подбородок украшает мужественный шрам, а глаза смотрят пытливо...

Откуда шрам? Скорее всего, когда он умудрился в 1934 году слететь с лошади, сломав обе руки, после чего кисти рук берег, невольно поджимая пальцы в кулаки — это почти постоянный жест Шелленберга. Правый глаз чуть навыкате и плохо видел, но Вальтер считал, что очки вовсе не красят разведчика, а носить монокль не получалось, приходилось обходиться левым. Пока еще полноватое лицо, запоминающиеся губы — они пухлые, но всегда слегка сжаты и уголки опущены вниз.

Каким увидела его Шанель, если действительно побывала в Берлине и в кабинете Шелленберга? Жаль, что нет возможности воспроизвести фотографию, сделанную 1 сентября 1943 года, но попробую описать.

Первое впечатление: детский сад! Какие тридцать три, ему и двадцать-то с натяжкой дашь! От широкой пухленькой физиономии осталось две трети, по-прежнему торчат (хорошо хоть небольшие) уши, кисть руки привычно закрыта в кулак. Аккуратнейшая форма (вообще-то он форму не любил, больше ходил в штатском), Железный крест первой степени (это за успешную операцию по краже резидента английской разведки из Голландии, возможно, подбородок-то ему разбили там), два дубовых листочка — Вальтер уже бригаденфюрер, и тощая шея из воротника идеально отутюженной белой рубашки (Шелленберг аккуратист, чем не мог не понравиться Шанель). А еще эта единственная фотография, на которой пухлые губы чуть раскрыты в улыбке, и становится ясно, что нижний ряд зубов вовсе не идеален. Действительно, с таким «заборчиком» лучше улыбаться, держа губки на замке. Вполне по-шпионски.

Но общее впечатление приятное, Шелленберг вообще был симпатичным человеком.

И все же Вальтер мальчишка, которого поставили

высоко-высоко, чем он страшно гордился и свято верил, что способен тягаться со знаменитой Интеллидженс Сервис — британской МИ-6. А коллеги, судя по всему, посмеивались (старшие коллеги, то бишь начальство) и не упускали возможности разыграть доверчивого разведчика.

Шелленберг гордо рассказывал, как однажды во время попойки с Гейдрихом и Мюллером оказался вдруг подвергнут строжайшему допросу на предмет несколько вольных отношений с супругой Гейдриха (неофициальной поездки). Выглядело это душераздирающе, в его стакан якобы был всыпан яд с обещанием в случае честного ответа дать противоядие. Пришлось признаваться. Не знаю, что там было дома у Гейдрихов, вероятно, скандал, но над незадачливым ухажером Гейдрих с Мюллером посмеялись наверняка от души. Мальчишка поверил и в яд, и в противоядие.

Сам Шелленберг и мысли не допускал, что это школярский розыгрыш, свято веря, что только так и должны поступать настоящие разведчики.

Наверное, только такой мальчишка и мог поверить в саму возможность договориться с Черчиллем через его приятельницу почтенного возраста, не имевшую ни малейшего отношения ни к политике, ни к государственным делам. Боюсь, что если встреча с Шелленбергом состоялась, то все описанное в книге Эдмонды Шарль-Ру происходило не перед Теодором Моммом, а перед самим Шелленбергом. Это его Шанель могла убедить в своем влиянии на Черчилля, никто другой не поверил бы.

Почему? Да потому что для сэра Уинстона мухи отдельно, котлеты отдельно, он не путал ловлю форели с политикой, причем политикой самой серьезной, и после Тегеранской конференции просто не мог пойти ни на какие переговоры с Шелленбергом, даже если бы хотел этого.

Но вернемся в Берлин конца 1943 года.

Студеная зима, Берлин в развалинах после бомбардировок, вежливое, но строгое сопровождение... И вот Шанель в кабинете начальника VI управления РСХА бригаденфюрера Вальтера Шелленберга...

Художникам-декораторам фантастических фильмов о злодеях, мечтающих завоевать весь мир, или шпионских сериалов не нужно было ничего придумывать, достаточно бутафорски воплотить описание собственного кабинета Вальтера Шелленберга из его «Лабиринта»:

«Возле огромного письменного стола стоял вращающийся столик, на котором было много телефонов и микрофонов. В обивке стен и под письменным столом, а также в лампе были вмонтированы невидимые для глаза подслушивающие устройства, автоматически фиксирующие любой разговор или даже шорох. Вошедшему бросались в глаза маленькие проволочные квадратики, расставленные на окнах; это были установки контрольной электросистемы, которые я вечером, уходя из кабинета, включал, приводя в действие систему сигнализации, охраняющую все окна, сейфы и различные двери в служебном помещении. Достаточно было просто приблизиться к этому месту, охраняемому при помощи селеновых фотоэлементов, как раздавался сигнал тревоги, по которому за считаные секунды прибывала вооруженная охрана.

Даже мой письменный стол напоминал маленькую крепость — в него были вмонтированы два автомата, стволы которых могли осыпать пулями помещение кабинета. Как только дверь моего кабинета открывалась, стволы автоматов автоматически нацеливались на вошедшего. В случае опасности было достаточно нажать кнопку, чтобы привести в действие это оружие.

Вторая кнопка позволяла мне подать сигнал тревоги, по которому все входы и выходы из здания сразу же блокировались охранниками».

Интересно, предупредили ли Шанель, чтоб не вздумала ничего трогать руками во избежание внезапной работы артиллерийской установки? Думаете, это смешная угроза? Ничуть, Шанель, как известно, любила чистоту, и терпеть не могла пыли ни на чем, временами принимаясь вытирать ее даже в гостях. Меня всегда интересовало, как стирают пыль вот с таких красных кнопок? Вытирать, не прикасаясь, не получится, а коснешься чуть посильней? А ну как Мадемуазель пришло бы в голову протереть платочком кнопки у симпатичного начальника?

Не стряслось, все остались живы.

Вальтер Шелленберг в своих воспоминаниях временами почти смешон, он настолько упивается своей шпионской ролью, так старательно напоминает о своей значимости, что выглядит скорее хвастливым ребенком, чем серьезным разведчиком. Чего стоит его трехстраничное описание подготовки к операции по устранению Отто Штрассера! Ампула с цианистым калием в зубе после этих страстей вовсе не кажется кошмарной выдумкой создателей шпионских сериалов. К Шанель это никак не относится, но немного расскажу, оно того стоит и хорошо характеризует Шелленберга. Непонятно, то ли он вообще все наврал, то ли человечество ходило по краю пропасти и только случайно осталось существовать на этой земле.

Не будем вспоминать, чем уж так Отто Штрассер насолил Адольфу Гитлеру, это их паучье дело, пусть себе, но описание попытки изловить того в Португалии и уничтожить при помощи... бактериологического оружия, которое могло ненароком отравить заодно и целый город, наводит на мысль, что Шелленберг мог бы неплохо зарабатывать написанием сценариев для сериалов о Джеймсе Бонде. Не довелось, после войны арестовали и по приговору Нюрнбергского суда посадили на шесть лет. Просидел, правда, меньше, выпустили из-за смертельной болезни печени и желчного пузыря (не последствия ли это «общения» с бактериологическим оружием?).

Почему Штрассера нельзя было просто пристрелить или устроить при помощи подпиленных тормозов автомобильную катастрофу, непонятно, пошли, как всегда, самым сложным путем, причем на операцию отправили лично руководителя отдела разведки управления имперской безопасности! Забегая вперед, скажу, что Отто Штрассер пережил Адольфа Гитлера почти на тридцать лет, он умер в 1974 году своей смертью безо всякого бактериологического оружия.

Если верить рассказу Шелленберга, в 1941 году Гитлер поручил ему лично разыскать Штрассера, который должен приехать в Лиссабон (Штрассер после прихода Гитлера к власти бежал сначала в Австрию, а потом в Чехословакию, откуда в передачах «Черного радио» костерил Адольфа на чем свет стоит).

Чтобы смерть противника была долгой и мучительной, задумано страшное...

Однажды Гейдрих (вы помните, что это начальство Шелленберга, которое потом уничтожил Канарис безо всяких выдумок с оружием массового поражения) вызвал к себе Вальтера и объявил, что у фюрера для него есть персональное задание. Но сначала предстояла встреча с неким таинственным профессором...

«Гейдрих объяснил мне, что д-р Шт. является доцентом одного университета, одним из крупнейших авторитетов в области бактериологии. В настоящее время он работает над разработкой защитных мероприятий на случай бактериологической войны. «Д-р Шт. передаст вам один препарат и проконсультирует, как надо с ним обращаться. Зачем нам это средство, нельзя говорить в его присутствии».

Д-ру Шт. было лет тридцать пять. Он держался самоуверенно и сразу же начал свой доклад — холодно, без эмоций, как на лекции. В соответствии с полученным приказом, сказал он, им создана сильнодействующая бактериологическая сыворотка, капли которой достаточно, чтобы умертвить человека с вероятностью 1000/1. Наличие следов сыворотки в организме убитого исключено. Препарат действует, в зависимости от конституции жертвы, в течение двенадцати часов, создавая картину заболевания, похожего на тиф. При высыхании препарат не теряет эффективности. Достаточно капнуть в стакан для полоскания рта каплю этого раствора, чтобы при последующем использовании стакана высохшая масса вещества вновь стала действовать».

«У меня буквально волосы встали дыбом, тем более что, взглянув в сверкающие глаза доцента, я увидел, что он — хотя и говорил холодно и сухо — просто-напросто опьянен собственным докладом. Украдкой я посмотрел на Гиммлера — он, казалось, как и я, не без содрогания слушал объяснения. Его явно испугала собственная решимость. Гейдриха же все это, видимо, мало трогало. К моему ужасу, докладчик вытащил из кармана две бутылочки и поставил перед нами на стол. С испугом рассматривал я бесцветную жидкость и боязливо посмотрел на горлышко бутылок — оно было заткнуто стеклянной пробкой, которую можно было использовать как капельницу. Наконец Гейдрих прервал поток красноречия разговорившегося ученого словами: «Благодарим вас, подождите нас в коридоре».

Представьте себе состояние Шелленберга, который был вынужден таскать с собой целых два пузырька этой дряни, зная, что если хоть одна из пробок откроется, то лично ему уже не спастись, останется только раскусить ту самую ампулу с цианистым калием, что запломбирована в зубе, или застрелиться, чтобы не мучиться.

«...Вернувшись к себе в кабинет, я тут же запер их в своем сейфе. Я отключил сигнальную систему и телефон и изнеможенно опустился в кресло. Что мне было делать? Мысли кружились как карусель. Два или три раза я подходил к сейфу, чтобы убедиться, там ли еще эти дьявольские бутылки. Внезапно я спросил себя, почему этот кошмарный человек дал тебе сразу две бутылки, если достаточно одной капли?.. А не хотят ли тебя использовать в качестве подопытного кролика для испытания средства будущей бактериологической войны?

...А что будет, спрашивал я себя, если на таможне у меня найдут эти бутылочки? Просто оставить их где-нибудь или выбросить в реку было невозможно — это было бы преступлением. Содержимого их хватило бы, чтобы отравить систему водоснабжения целого города с миллионным населением.

...Д-р Шт. сообщил, что содержимое их будет «жизнеспособным» самое большее два года. Стальные капсулы могли пролежать в море двадцать-тридцать лет. Таким образом, я мог со спокойной совестью бросить их в море.

Я срочно связался с руководителем технического отдела. Он глубокомысленно взглянул на бутылочки, которые я осторожно поставил перед ним на письменном столе. После этого он сказал, что считает возможным изготовить такие стальные капсулы, но это займет тридцать шесть часов. То, что я слышал теперь, было мне гораздо приятнее, чем лекция, прослушанная несколько часов назад. «Я достану вам две стальные капсулы, выложенные изнутри каучуком. Эластичная прокладка защитит их от любого удара и так плотно охватит горлышко бутылок и пробку, что раскрыться они не смогут. Если все же возникнет опасность утечки, жидкость впитается в пористую массу. Кроме того, стальные капсулы будут так завинчены, что предохранительный запор сделает невозможным случайную разгерметизацию».

Так, рискуя жизнью, Шелленберг героически привез отраву в Лиссабон и спрятал в сейф уже там.

Чем все закончилось? А ничем. Через пару недель, убедившись, что Штрассера в Лиссабоне нет, Шелленберг с облегчением унес ноги от сейфа с бутылочками, поручив своим агентам, если Отто не появится в ближайшие недели, попросту выбросить капсулы в море, ни в коем случае не вскрывая. Штрассер, как вы знаете, уцелел, значит, ампулы с бактериологическим оружием до сих пор где-то в заливе? А если д-р Шт. ошибся и оно жизнеспособно не пару лет, а очень долго? Вдруг кому-то кладоискателю придет в голову достать их и отвинтить крышку капсулы? Ой, что будет....

Но тогда Штрассер с Лиссабоном уцелели, Шелленберг тоже, а Гитлера уже занимали другие проблемы.

Пока не прочитала «Лабиринт», не могла поверить, что глава внешней разведки может как мальчишка ввязаться в операцию вроде «Модной шляпы», ведь доверить попытку организации связи с Черчиллем пожилой женщине вроде Шанель Гейдриху, например, едва ли пришло бы в голову, а Шелленбергу вполне могло. Знаете, как резюмировали свои впечатления следователи англичан, а потом и Нюрнбергского процесса после многодневных допросов Шелленберга? Он, мол, незаслуженно вознесен нацистской властью.

Хорошо, что этого не читал сам Шелленберг! Он-то мнил себя главной фигурой мировой разведки.

В мае 1945 года Вальтер Шелленберг оказался в Норвегии, потому и остался жив. Там он договаривался о капитуляции. Не буду утомлять вас перечислением мытарств бедного Вальтера по тюрьмам союзников, скажу только, что после некоторой торговли по поводу, кому он насолил больше других, победили почему-то англичане (может, боялись, чтобы любитель покрасоваться на допросе у других не ляпнул чего-то лишнего?), забрали его к себе и долго добивались правды.

Если Вальтер Шелленберг действительно выглядел в те дни так, как получился на фотографии, то он мог и не сдаваться, а просто уйти в никуда. Этого типа с внешностью несчастного беженца едва ли приняли бы за главу разведки рейха. В лучшем случае инженер, немного отсидевший в концлагере, отощавший, плохо выбритый и замученный то ли нацистами, то ли совестью.

Но он предпочел сдаться сам и честно отвечать на все вопросы следователей. Почему? Считал, что союзники не посмеют его наказать, ведь он всего лишь разведчик? Или все же так допекла больная печень, что уж лучше в тюремном лазарете, чем без медицинской помощи на воле? Он действительно был смертельно болен, и пока был жив Гейдрих, хоть по его приказу лечился. А после вообще себя забросил. В результате сделанная операция не помогла, было поздно.

На последних фотографиях Шелленберг снова не похож на себя, никаких пухлых губ, одно страдание. Жалко? Есть немного, все же он не такой палач, как Гиммлер или Геббельс, да и симпатичные они с Табаковым...

После освобождения из тюрьмы по медицинским показаниям жил сначала в Швейцарии, а потом был вынужден перебраться в Италию, в Палланцу, где ему виллу купила якобы Шанель.

Клаус Харпрехт в предисловии к мемуарам Шелленберга очень тонко подметил мучения бывшего шефа нацистской разведки, причем мучения не столько физические, сколько моральные:

«Италия предоставила ему убежище. Она согласилась впустить его, хотя и не без колебаний и бюрократических проволочек. Но самое худшее было в другом: власти страны, оказавшей ему гостеприимство, не обращали на него почти никакого внимания, довольствуясь весьма поверхностным наблюдением, так как, по-видимому, никто не предполагал, что этот больной человек может представлять для страны какую-либо опасность или хотя бы неудобство. Такое пренебрежение было для Шелленберга, пожалуй, самым тяжким ударом. В свое время он играл крупную роль, а теперь, всего через несколько лет, он очутился в положении вышедшего из моды актера, которому никто не хотел верить, что он когда-то был одним из главных персонажей эпохальной трагедии. Однако Шелленберг не бросил игру. Он создал себе искусственный мир. Ему постоянно казалось, что за ним следят тысячи глаз. Разумеется, он полагал, что итальянская полиция и английские или французские агенты следят за каждым его шагом. На самом деле, после выхода на свободу он пытался без особого успеха восстановить некоторые из старых звеньев своей службы. Если верить его сообщениям, он послал одного из бывших сотрудников швейцарской разведки к великому муфтию Иерусалима; однажды он показал дружеское письмо одного жителя Востока, который к тому времени давно нашел убежище в Египте. В 1951 году он сам предпринял поездку в Испанию, чтобы возобновить связи с эмигрировавшими туда руководителями СС; он использовал этот визит также для примирения со своим старым соперником — Отто Скорцени».

Бедный Вальтер даже при смерти не мог согласиться с тем, что он больше не нужен и не опасен.

На что он жил? Тот же Харпрехт рассказывал, что, как только у Шелленберга заканчивались средства, он уезжал на пару дней в Милан и возвращался оттуда повеселевший. В стиле Шелленберга поездки совершались под завесой секретности, но окружающим при этом делалось множество намеков о важности лиц, с которыми Вальтер встречался... Были упоминания и о Шанель. Нет, он не называл Коко прямо, просто упомянул, что им интересовалась некая богатая француженка, связанная с производством парфюмерии.

Мы-то знаем, кто это...

Но рассказ о том, что Шанель варила для несчастного Шелленберга овсяную кашу по русскому рецепту, совершенная глупость. Он жил в отеле, пусть и не под тотальным наблюдением, но все же под присмотром. Как бы выглядело и могло ли пройти незамеченным появление в маленьком Палланцо этакой дамы? Уж Харпрехт ее не мог не заметить, и Гита Петерсон тоже. Напомню: Гита и Клаус занимались подготовкой рукописей Шелленберга к печати, исправляя всяческие неточности, которых было немало. Начали эту работу еще в Швейцарии сразу после освобождения Вальтера из тюрьмы, а прекратили после того, как его вдова увезла материалы в Германию. Шелленберг был постоянно у них на виду.

Хотя, конечно, после выхода из тюрьмы помогла и семье, видно, тоже, об этом вспоминал Теодор Момм.

Шелленберг не стал топить вместе с собой Шанель, а может, и говорить-то оказалось нечего? Речь идет не о воспоминаниях, из которых пропали отдельные главы, а о допросе англичан после ареста, а потом и в ходе подготовки Нюрнбергского процесса. Вальтер Шелленберг был уже смертельно болен, знал об этом, потому врать ему совершенно ни к чему, тем более он вполне мог рассказать сказки о своих стараниях договориться с Черчиллем с помощью Шанель. Не стал, то ли слишком устал бороться за свою жизнь, то ли совесть не позволила.

Вальтер Шелленберг умер в марте 1952 года, прожив после освобождения чуть меньше года.

ВЕРА ЛОМБАРДИ (БЕЙТ)

Шпионаж вредит дружбе

—————

Эта дама, как и Вальтер Шелленберг, заслуживает отдельного рассказа.

Когда и при каких обстоятельствах Шанель познакомилась с Сарой Гертрудой Аркрайт, как в действительности звали Веру, неизвестно, скорее всего, не без помощи Боя. Есть версия, что их познакомил во время Первой мировой войны граф Леон де Лаборде, хотя это неважно. Русское имя Вера просто понравилось мадемуазель Аркрайт, и она сама себя переименовала. Фамилию Бейт получила в первом браке, когда, собственно, и объявилась на европейской сцене.

Вера была на пару лет моложе Шанель, о ее происхождении ходили легенды, связывавшие красавицу с королевской фамилией, хотя в свидетельстве о рождении значилось, что она дочь... каменщика! Сплетницы уверенно называли в качестве предков Веры герцога Кембриджского, недаром она была связана с принцем Уэльским, знакома с герцогом Вестминстерским, знала

Уинстона Черчилля, да и вообще Веру обожал английский высший свет. Она была элегантна, умна, красива и всегда без денег.

Во время Первой мировой войны Вера служила медсестрой во Франции в американском госпитале в Нейи, где встретила американского офицера Фреда Бейта, за которого вышла замуж в 1916 году. Через год у них родилась дочь Бриджит. На момент знакомства с Шанель Вера явно была Бейт, потому что еще раз сменила фамилию, разведясь и выйдя замуж за офицера-итальянца Альберто Ломбарди где-то в 1919 году.

К этому времени Вера уже пару лет работала у Коко Шанель, причем едва ли кто-то смог бы толком объяснить, в чем именно заключаются ее обязанности. Красавица носила одежду, сшитую Шанель, посещала светские мероприятия, нахваливала мастерство подруги и получала за это... 30 000 франков в месяц! Вообще-то перед войной чиновник среднего уровня получал в десять раз меньше. А 40 000 франков, полученные Шанель по завещанию Кейпела в 1920 году, позволили ей купить виллу «Бель Респиро» и расширить помещения на рю Камбон.

Считалось, что Бейт, а потом Ломбарди дает Шанель дельные советы. Но Мисе-то Коко за таковые не платила?

Тем не менее столь странная дружба помогла Коко познакомиться с герцогом Вестминстерским. Помните таковое знакомство, едва не сделавшее Шанель герцогиней? И хорошо, что не сделало, а то мы бы по сей день носили сумочки в руках и не ведали знаменитых костюмов Шанель, едва ли герцог позволил бы своей супруге заниматься производством одежды.

Но для нас важнее другое. Итальянский полковник Альберто Ломбарди и его супруга Вера были весьма подозрительны для французской полиции, а заодно с ними и мадемуазель Шанель, вернее, ее по ошибке называли мадам Шанель. На каждого завели досье.

Из этого досье можно узнать, что Габриэль Шанель (у которой неверно указана дата рождения — 21 августа 1886 года) в 1910 году с помощью друга (видимо, Боя Кейпела) открыла свое дело, что с 1921-го по 1924 год была любовницей великого князя Дмитрия Павловича, что она платит за свою огромную квартиру 50 000 франков в год, близко знакома с герцогом Вестминстерским, который часто ездит к ней в гости. Что в 1921 году она получала визы для путешествия в Испанию, Германию, Голландию и Швейцарию, а в 1924 году в Англию.

Подозрения французской полиции оказались столь сильными, что министр внутренних дел отдал распоряжение о тотальной слежке за обеими... парами. Никому не приходило в голову, что у Шанель нет супруга. Следить полагалось за Ломбарди и мсье и мадам Шанель. Полиция быстро установила, что живут эти «пары» по соседству на Французской Ривьере, на мысе Кап-Мартен, Шанель на вилле «Ла Пауза», а Ломбарди поскромнее — в небольшом домике рядышком. Выяснить, что этот домик тоже принадлежит Шанель и та построила его нарочно для Веры, полиция почему-то не смогла.

Зато выяснила другое. Из отчетов известно, что Альберто Ломбарди на восемь лет моложе супруги, что они поженились в 1919 году, супруги держали немецкую экономку и каждое утро посвящали на удивление продолжительным международным переговорам. И то правда, Вера проводила у телефона каждое утро по... четыре часа! Ломбарди звонили в Мюнхен, Женеву и Лондон, разговаривая на английском и немецком, тратя на переговоры по 1000—1200 франков ежемесячно. К тому же Ломбарди вечерами изучал и вычерчивал карты французской столицы и предместий. Согласитесь, такое поведение у кого угодно вызовет подозрение.

Непонятно, почему полковник итальянской армии Альберто Ломбарди преспокойненько жил на Французской Ривьере, ему дома нечем заняться?

В 1937 году что-то между подругами произошло, Шанель вдруг уволила Веру. Сама Ломбарди жаловалась Черчиллю:

«...В 1937-м она меня уволила. Это было подло и грустно...»

Черчилль Веру не пожалел, то ли знал причину увольнения, то ли не желал ввязываться.

Видимо, потеряв средства для безбедного проживания

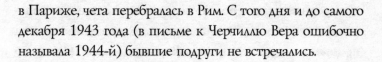
в Париже, чета перебралась в Рим. С того дня и до самого декабря 1943 года (в письме к Черчиллю Вера ошибочно называла 1944-й) бывшие подруги не встречались.

Наверное, мы никогда не узнаем, что же произошло в 1937 году между подругами, видно, что-то очень серьезное, потому что, когда в 1943 году Вере передали письмо от бывшей работодательницы с предложением помочь открыть новый бутик в Мадриде, Ломбарди категорически отказалась.

Все, что с подругами происходило после того, похоже на лабиринт, из которого вообще нет выхода. Их версии разнятся. Вера утверждала, что после отказа сотрудничать с Шанель ее немедленно арестовали и посадили в тюрьму, разве что не пытая с требованием согласиться поехать к Шанель. Нелепо?

Что реально известно о жизни Веры и Альберто Ломбарди в Италии и за что могли арестовать Веру, если отбросить россказни о жестоких фашистах, работающих исключительно на благо Коко Шанель? Ломбарди жили на небольшой вилле в Париоли, неподалеку от Рима. Альберто с 1929 года состоял в фашистской партии. За самой Верой в Италии было установлено наблюдение как за информатором британской разведки. Ее не называли агентом, но следили неотступно. Находясь в Риме, Вера прониклась идеями Муссолини и в июньском письме 1935 года Черчиллю (тогда еще не премьер-министру) настоятельно рекомендовала обратить внимание на этого диктатора, с восторгом рассказывая о его популярности в Италии. Это не помешало ей все же числиться у итальянской полиции неблагонадежной. Но если в 1941 году Веру обвиняли просто в том, что не выключила свет во время воздушной тревоги, то 12 ноября 1943 года Ломбарди была арестована как агент британской разведки с более чем десятилетним стажем. 22 ноября ее освободили по распоряжению каких-то высоких немецких чинов.

Полковник Альберто Ломбарди в это время скрывался где-то на юге Италии. К этому времени Вера забыла о своих восторженных панегириках личности Муссолини и вспомнила британское прошлое. А еще, похоже, вспомнила о Шанель. Что бы она там ни говорила, выдает Веру одна-единственная фраза из более позднего письма Черчиллю:

«Я сумела обманом заставить Коко помочь мне сбежать сюда. Это, несомненно, большая удача, потому что она и сейчас хитра необыкновенно...»

Сюда — это в Мадрид. То есть Вера каким-то образом сумела заставить Шанель заступиться за нее перед немцами, а потом саму же Коко обвинила в сотрудничестве с ними!

Весьма любопытные письма Веры Ломбарди и Коко Шанель приводит в своей книге Жюстин Пикарди.

Вот часть письма Шанель, которое та написала в Мадриде на фирменном бланке отеля «Ритц» либо в конце декабря 1943 года, либо в начале января следующего, потому что к Черчиллю оно попало не раньше 10 января.

«Мой дорогой Уинстон.

Простите мне, что прошу Вашего внимания, когда вокруг творится такое. В свое оправдание скажу, что делаю не ради себя — я узнала, что Вера Ломбарди не очень счастливо живет в Италии, поскольку она англичанка, а ее муж итальянский офицер.

Вы достаточно хорошо меня знаете и наверняка понимаете, что я сделаю все ради того, чтобы облегчить ее трагическую участь, когда фашисты попросту держат ее в заключении! Однако для этого я должна была обратиться к человеку, обладающему большим влиянием, который помог бы вернуть ей свободу, а ее — мне.

Я преуспела в этом, из-за чего она теперь в затруднительной ситуации, поскольку в итальянском паспорте стояла немецкая виза, а я понимаю, что это выглядит подозрительно, но как Вы, дорогой мой, безусловно, догадываетесь, за 4 года оккупации судьба свела меня во Франции с огромным множеством разных людей! Как бы я хотела обсудить это с Вами!..»

Дальше Шанель написала, что Вера хотела бы вернуться в Италию, чтобы разыскать там мужа. Коко желала дорогому Уинстону скорейшего выздоровления и выражала надежду услышать добрые вести о его сыне Рэндольфе.

Обратите внимание на фразу «...я должна была обратиться к человеку, обладающему большим влиянием...».

Это наверняка о Шелленберге. Как же нужно было задурить голову Шелленбергу, чтобы тот поверил, что Шанель (которая часто встречалась с Черчиллем до войны и могла написать ему вот такое обращение «дорогой Уинстон») не способна сама передать премьер-министру письмо через ее же знакомого английского посла Сэмюэля Хора и вынуждена привлекать Веру Ломбарди! Конечно, Шелленберг не мог знать всех нюансов взаимоотношений между Шанель, Черчиллем и Ломбарди, но Коко серьезно рисковала, ведь стоило немцам понять, что она блефует и Вера ей совершенно не нужна, доверие мигом пропало бы, зато появилась возможность попасть в куда более серьезную переделку, чем сама Ломбарди, с той только разницей, что Шанель вытаскивать оказалось бы некому.

Шанель удалось, Шелленберг поверил, что без Веры у Коко ну ничегошеньки не получится, а потому приказал вытащить подругу своего агента Westminster из итальянской тюрьмы и доставить в Париж. Почему не сразу в Мадрид, непонятно. Возможно, Шанель и не собиралась брать Веру с собой, да только не вышло...

А вот отрывок из письма Веры Черчиллю, фразу из которого я уже приводила:

«...За 16 лет работы на Коко я многому научилась и приобрела бесценный опыт... В 1937 году она меня уволила. Это было подло и грустно, я не встречалась с ней до декабря 1944 года, когда по ее наущению ее немецкие дружки и мои тюремщики свойственными им методами силой вынудили меня ехать к ней в Париж... По-моему, Коко очень изменилась за семь лет... Я сумела обманом заставить Коко помочь мне бежать сюда...»

Там, конечно, ошибка в дате, это был декабрь 1943 года. Удивительна еще фраза о тюремщиках, которые силой заставили ехать в Париж. Неужели приятней было оставаться в тюрьме?

Письмо очень длинное. Вера не вспоминает популярность Муссолини и вовсе не советует Черчиллю поддержать дуче, напротив, она очень долго и неприятно слащаво расписывает, сколь верной британкой была все это время, как ей помогало держаться воспоминание о самом Черчилле и маленькая фотография, где тот верхом на жирной лошади, как она поддерживала боевой дух итальянской армии рассказами о том, как сам Черчилль в угоду Альберто Ломбарди ел зеленый лук, делая вид, что ему очень нравится... Если верить этому письму, получалось, что весь центр сопротивления режиму дуче в Италии находился на вилле Ломбарди, а итальянские офицеры с юга пробирались туда тайно, чтобы послушать английские новости и рассказы Веры о знакомстве с Черчиллем.

Почему-то сам Черчилль и британская МИ-6 не поверили в столь героическое поведение Веры Ломбарди. И правда, мало верится. Ломбарди давным-давно была «под колпаком» у итальянской контрразведки, и не заметить при постоянной слежке тайно снующих на виллу ради россказней о зеленом луке итальянских офицеров невозможно.

Веру арестовали в ходе арестов других подозрительных лиц, когда началось наступление союзнических сил, а вот вытащили ее из застенков совершенно точно по просьбе Шанель.

После войны Вальтера Шелленберга долго и серьезно допрашивали сначала англичане, а потом объединенные группы следователей союзников. Неизвестно, писал ли он об операции «Модная шляпа» в своих мемуарах (в тех страницах, которые оказались утеряны или нарочно уничтожены), но на допросе ничего не скрывал. Да и ни к чему Шелленбергу скрывать, ведь рассказ об этой неудавшейся операции делал ему честь как человеку, пытавшемуся наладить контакты с союзниками за спиной Гитлера.

О Вере Ломбарди Шелленберг заметил просто, что эта дама, с которой давно знакома Шанель, должна была передать письмо, написанное самой Шанель, Черчиллю. Но Вера Ломбарди по прибытии в Мадрид просто выдала всю группу британским властям как немецких шпионов. Операцию пришлось прекратить, не начав. О дальнейшем общении этих дам между собой и их общении с Черчиллем Шелленбергу ничего не известно.

Значит, все-таки правду говорила Шанель, когда рассказывала, что Вера в первый же день отправилась в английское посольство выдавать их? Но ведь подруги встретились именно там, в посольстве? Значит, и Коко ходила тоже. Зачем? Похоже, Вера, пытаясь создать себе алиби и репутацию британской патриотки, испортила «большую малину», куда большую, чем даже думала Шанель, отправляясь в Мадрид. Переусердствовала своим доносительством. Недаром после войны с ней не пожелал общаться никто — ни Черчилль, ни герцог Вестминстерский, ни сама Шанель. Черчилль не ответил ни на одно письмо Ломбарди (а их, вот таких липких, ура-патриотических, с мольбами, комплиментами и заверениями во всегдашней верности и готовности услужить, было несколько). Черчилль отписывался телеграммами, и то не ей самой, а своей дочери, чтобы передала шпионке-неудачнице.

Подруги действительно больше не встречались после войны, хотя Шанель просила Черчилля помочь Вере вернуться в Италию. Помогли нескоро, ее супруг Альберто уже давно был в Риме и командовал своим полком, а Вера все сидела в Испании, власти Италии не спешили пускать на свою территорию английскую доносчицу.

Шанель тоже было не до Ломбарди, с собственными делами бы разобраться... И все же позже она написала Вере письмо, укоряя в предательстве.

Вера умерла в 1948 году, бывшие подруги и «соратницы» по шпионской деятельности так и не помирились.

СКЕЛЕТ ДИНОЗАВРА...

Помните крыловское «слона-то я и не приметил»? Действительно, разглядывая в витрине зоологического музея всяческих клопов и блошек, вполне можно не обратить внимания на то, что сама витрина находится аккурат между костями огромного доисторического ящера.

Бывает наоборот, за деревьями не видят леса.

Кажется, самый большой скелет в шкафу Коко Шанель пока не замечает никто...

А теперь внимание. В книге Марселя Эдриха «Загадочная Коко Шанель» есть такой текст. Рассказывая о допросах после войны, Шанель говорит:

«...Когда ко мне приходили, чтобы задавать вопросы, я спрашивала: у вас есть удостоверение? С каким английским полковником вы связаны? Чьи приказы вы выполняете? На эти вопросы никто не мог ответить, я-то могла. Со стороны англичан все было серьезно. Англичане серьезные люди».

В ответ на возражение Марселя Эдриха, что неосторожно иметь при себе английские документы, она, не задумываясь, возражает:

— *После!* Их могли потребовать после. Все, кто сделал что-то серьезное, получили документы, в них не могли отказать.

Что это, привычная выдумка Мадемуазель, которых у нее было пруд пруди, или все же реальное положение вещей? Что такое серьезное сделала Мадемуазель Шанель для англичан, если у нее имелись оправдательные документы? Вспомните, что допрос Мадемуазель длился всего несколько часов, когда и менее «провинившиеся» перед «комитетами по чистке» отсиживали в тюрьме по несколько месяцев, разоблачители коллаборационистов старательно отрабатывали свою собственную репутацию, чтобы ни в чем не заподозрили.

Что же такое серьезное сделала для англичан Коко Шанель, что не боялась назвать фамилию полковника, с которым связана, и, главное, за что получила документы, которые могла предоставить?

Почему приехавший в Париж в день освобождения офицер британской разведки Малкольм Магерридж направил свои стопы в отель «Ритц» к пожилой женщине Габриэль Шанель? Магерридж занимался прежде всего тем, что вытаскивал из парижских тюрем своих людей, он рассказывал, в каком ужасном положении и состоянии находились те, кого забирали, часто безо всяких оснований, просто по чьему-то доносу, молодчики из «комитетов по чистке».

Эти комитеты никто не назначал, они объявляли о себе сами, просто собиралась группа, желающая разобраться с коллаборационистами, и начинала действовать. Очень часто в этих комитетах оказывались те, кто еще вчера помогал немцам либо вообще был уголовником.

Пока власти сумели навести порядок и проверить сами комитеты, в тюрьмы попало множество невинных людей, с которыми попросту сводили счеты соседи, знакомые и даже ближайшие родственники — тещи сдавали зятьев, а зятья тещ, мужья жаловались на надоевших жен, а жены сплавляли в тюрьму супругов в надежде, что те не вернутся.

Шанель тоже побывала в таком комитете, но ей повезло, следователи оказались настоящими, и она смогла выбраться. Что ей помогло? Вспомните:

— Все, кто сделал что-то серьезное, получили документы...

Считается, что помог Черчилль, мол, дозвонилась, и премьер-министр по своим каналам попросил отпустить. Кто стал бы слушать коллаборационистку и звонить из Парижа в Лондон, разыскивая премьер-министра Великобритании? Да и была ли у простых комитетчиков такая возможность?

Все, что мы знаем о поведении Шанель во время оккупации Франции и «Модной шляпе», словно детали пазла россыпью, которые никак не желают складываться в общую картину.

А теперь сделайте одно-единственное допущение, и все сложится как по мановению волшебной палочки... Что, если министр внутренних дел Франции, отдавая приказ о слежке за Шанель, не так уж и ошибался? Что, если Шанель с самого начала работала на МИ-6? И на нее же работал Шпатц?

Тогда становится понятным почти все.

И то, что Динклаге нет ни в каких списках абвера. Соглашаясь, что он шпион, Шпатц никогда не говорил, какой именно разведки. А проверить его на «рабочий стаж» в МИ-6 едва ли возможно.

То, что Шанель Черчилль поверил, а Вере Ломбарди нет. И почему Шанель вдруг перестала платить Ломбарди, явно начавшей помогать кому-то не тому.

Что, арестовав, Шанель выпустили через несколько часов. Связаться с Черчиллем за это время можно было едва ли, да и непонятно, кто это стал бы делать. А вот назвать какой-то код, чтобы тебя обнаружили в списке «неприкасаемых», вполне можно... Или предъявить те самые документы, в которых не могли отказать людям, сделавшим нечто серьезное для Англии.

Что она сидела в Швейцарии, пока не отошли в мир иной те, кто мог выдать, а Черчилль своих не сдавал. В 1952 году умер Вальтер Шелленберг, за его рукопись сразу началась борьба. Сам Шелленберг хотел опубликовать ее в Швейцарии, потом передумал и решил отдать Германии. Но у его вдовы «конкурс» выиграли англичане (они-то какое имели отношение к рукописи?). Попав в Англию, текст изрядно похудел, оттуда исчезло все, что могло как-то разгласить нежелательные сведения о работе МИ-6. В том числе, между прочим, и все упоминания о Шанель. А ведь во время допросов британскими следователями Шелленберг сотрудничества с ней не скрывал.

Почему у француженки Шанель операция называется «Модная шляпа», а позывной Вестминстер? Считается, что из-за ее знакомства с герцогом Вестминстерским. Тогда уж лучше «Черчилль» или «Уинстон».

Если она действительно работала на МИ-6, то могла ли опровергнуть обвинения в сотрудничестве с нацистами? Могла, но только ценой признания, что много лет работала на МИ-6. Конечно, нацисты не британцы, однако французов едва ли обрадовало бы такое признание. Может, пришлось терпеть все, пока само собой не забылось?

В 1957 году она уже точно знала, что друг Черчилль сделал все, чтобы данные о ней не просочились в печать, можно было и выползать из норки. Вышла английская версия мемуаров Вальтера Шелленберга, и в ней не было ни слова о Шанель. Значит, материалы удалось уничтожить, если они были? Кто помог, Вендор или все же Черчилль?

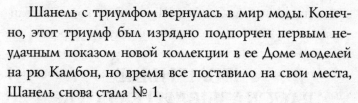

Шанель с триумфом вернулась в мир моды. Конечно, этот триумф был изрядно подпорчен первым неудачным показом новой коллекции в ее Доме моделей на рю Камбон, но время все поставило на свои места, Шанель снова стала № 1.

И духи ее заняли свое место.

Мы заслуженно помним Мадемуазель за созданный ею стиль и за «запах женщины». А разбираться, с кем и как она спала во время оккупации, пожалуй, не стоит. Ну спала себе и спала...

Тем более все не так просто.

ПОМЕНЬШЕ РАССКАЗЫВАЙТЕ О СЕБЕ...

Если пожелают, сами во всем разберутся

Писать биографию Габриэль Боннер Шанель, как звучало полное имя Коко Шанель, невероятно трудно. Она сама пыталась делать это несколько раз, привлекая профессионалов, трижды биографии бывали написаны (возможно, и больше), книга Луизы де Вильморен даже предлагалась издателям в США. До этого во время долгих прогулок по берегу Женевского озера Шанель рассказывала о себе Полю Морану, серьезной попыткой стала работа с Мишелем Деоном. Не один лист был исписан Марселем Эдрихом и подругой Шанель психоаналитиком Клод Делэ. Но ни одна из прижизненных биографий света не увидела.

Так в чем же дело?

Поль Моран и до швейцарских бесед и посиделок неплохо знал Коко Шанель, а потому несколько скептически выслушивал ее выдумки о себе, а когда сама Мадемуазель прочитала написанное старым приятелем, то пришла в ужас — он решил рассказать о ней правду?! Ни за что! Полю Морану пришлось поклясться, что при ее жизни книга свет не увидит. Не увидела и при его тоже, лишь после смерти Морана «Аллюр Коко Шанель» была издана с иллюстрациями Карла Лагерфельда. Но к этому времени весь мир уже знал тайны великой Мадемуазель, которые мог бы раскрыть ее старый друг.

С Луизой де Вильморен Шанель связала творческая симпатия. Коко очень нравились произведения Вильморен, поставленные по ним фильмы... Думаю, они нашли общий язык во многом. Например, Шанель непременно должна понравиться фраза Луизы де Вильморен: «Мужчина есть мужчина, но красивый мужчина — это совсем другой разговор».

Наверное, Луиза быстро поняла бесперспективность такой работы, потому что Шанель, рассказывая о своем детстве правду, тут же требовала все это в книгу не включать. В результате от реальной жизни оставалась выхолощенная схема со многими пропусками. Жизнь пунктиром, который пришлось заполнять красивыми и совершенно пустыми картинками. Луиза предупреждала, что читатель такого не примет, но Шанель упрямо считала, что сработает ее имя. К тому же ей самой нравилась выдуманная история о жизни у строгих богатых тетушек, которые потом непонятно куда делись.

Вильморен вынуждена напомнить подруге, что дотошные журналисты попытаются докопаться до истины, что нельзя рассказывать сказки сейчас, когда все проверяется, что для читателей много интересней была бы настоящая жизнь Шанель с приютским детством, страстным желанием выбраться в люди, тоской по бросившему их отцу...

Не убедила, Коко Шанель настаивала на своем. Не в силах дождаться окончания работы, она даже сама отправилась за океан — предлагать первый том труда Луизы де Вильморен американским издателям. Что могло быть заманчивей: широко известная Луиза де Вильморен рассказывает об иконе стиля Коко Шанель? Франция еще не признала вернувшуюся в мир моды Шанель, а Америка была от ее моделей в восторге. Но...

Ни один из издателей, к которым Коко Шанель лично относила рукопись первого тома, не проявил интереса! Объяснения у всех одинаковые: «Неинтересно. Скучно. Слишком нереально». Мадемуазель была в шоке. Ее жизнь, описанная великолепной Вильморен, скучна?! Неужели интересней читать о приключениях «Мадам де...», по которой поставили очаровательный фильм?!

На обратном пути в самолете Шанель все же попробовала почитать сама и быстро убедилась, что ее собственное мнение совпадает с мнением редакторов издательств: скучно! Чтобы было интересно, действительно нужно писать правду.

Но великая Мадемуазель очень не любила признавать свою неправоту, вернувшись, она даже не сообщила Луизе об отказе. Теперь обиделась Луиза, она-то не виновата в нелепых требованиях заказчицы! В результате Луиза де Вильморен просто отослала незавершенную рукопись Шанель с припиской, что закончить шедевр у Коко самой получится лучше всех. Они довольно долго были в размолвке, примирение состоялось нескоро.

Размышляя над неудачей, Шанель пришла к выводу, что писатели ее просто не понимают, им рассказываешь одно, они переворачивают или передают сказанное как-то не так. Нужно диктовать фразу за фразой все, что сама хочет, как она сама видит, а кто-то пусть обработает все эти фразы. Был заключен договор между Мадемуазель и молодым тогда Мишелем Деоном: Шанель говорила, он дословно записывал и литературно обрабатывал сами фразы, ничего не меняя в их смысле.

Получилось красиво, точно, но на сей раз Шанель не рискнула относить биографию издателям, не прочитав целиком трехсотстраничный труд сама. «В нем нет ни одной фразы, про которую я могла бы сказать, что она не моя, но в целом это совсем не то...» Мадемуазель не стала объяснять, что просто скучно, выхолощенная жизнь, описание сплошных успехов, снова десятки пропущенных лет, из-за чего многие поступки выглядели нелогичными... Книга свет не увидела.

Позже Деон помогал и весьма успешно литературно обрабатывать книги Сальвадору Дали. С Шанель не получилось.

Появится ли когда-то полная и достоверная биография Шанель? Если да, то стоит ли в ней уделять столько внимания шпионским страстям, не интересней ли понять, откуда у девочки из Обазина столько энергии, чтобы стать законодательницей моды на долгие годы, упасть и суметь подняться, как она сумела сохранить до столь преклонных лет такую активность и тягу к работе? Сколько еще молодых и достаточно сильных людей мечтают скорее выйти на пенсию, лечь и лежать, ничего не делая, а она, очень пожилая больная женщина, мечтала только об одном: делать любимое дело и ненавидела праздники и воскресенья, потому что в эти дни ее обожаемый Дом моделей на рю Камбон закрыт.

Шанель умерла в воскресный день января 1971 года на восемьдесят восьмом году жизни, весь предыдущий день проработав.

ЛИТЕРАТУРА

1. *Жюстин Пикарди.* Коко Шанель. Легенда и жизнь.

2. *Клод Делэ.* Одинокая Шанель.

3. *Эдмонда Шарль-Ру.* Непутевая Шанель.

4. *Марсель Эдрих.* Загадочная Шанель.

5. *Анри Гидель.* Коко Шанель.

6. *А. Синьорини.* Другая Шанель.

7. *Hal Vaughan.* Sleeping with the enemy/ Coco Chanel, nazi agent.

8. *Дмитрий Медведев.* Черчилль.

9. *Жак Марабини.* Повседневная жизнь Берлина при Гитлере.

10. *Стивен Иссерлис.* Всякие диковины про Баха и Бетховена...

11. *Оскар Райле.* Секретные операции абвера.

12. *Вальтер Шелленберг.* Лабиринт.

13. *Ладислас Фараго.* Игра лисиц.

14. *Н. Горелов.* Закуска для короля, румяна для королевы.

Содержание

Литературно-художественное издание

Павлищева Наталья Павловна

НЕЗНАКОМАЯ ШАНЕЛЬ
«В постели с врагом»

Ответственный редактор *Л. Незвинская*
Художественный редактор *С. Курбатов*
Технический редактор *В. Кулагина*
Компьютерная верстка *О. Шувалова*
Корректор *О. Супрун*

Фотография на обложке: Lipnitzki / Roger Viollet / Getty Images / Fotobank.ru

ООО «Издательство «Яуза».
109507, Москва, Самаркандский б-р, 15.

Для корреспонденции:
127299, Москва, ул. Клары Цеткин, д. 18/5.
Тел.: (495) 745-58-23.

ООО «Издательство «Эксмо»
127299, Москва, ул. Клары Цеткин, д. 18/5. Тел. 411-68-86, 956-39-21.
Home page: www.eksmo.ru E-mail: info@eksmo.ru

Оптовая торговля книгами «Эксмо»:
ООО «ТД «Эксмо». 142700, Московская обл., Ленинский р-н, г. Видное,
Белокаменное ш., д. 1, многоканальный тел. 411-50-74.
E-mail: reception@eksmo-sale.ru

Подписано в печать 17.01.2012.
Формат 84 x108 $^1/_{32}$. Гарнитура «Лазурский».
Печать офсетная. Усл. печ. л. 16,8.
Тираж 5100 экз. Заказ № 7749.

Отпечатано в ОАО «Можайский полиграфический комбинат».
143200, г. Можайск, ул. Мира, 93.
www.oaompk.ru, www.оаомпк.рф тел.: (495) 745-84-28, (49638) 20-685

ISBN 978-5-699-54636-7

9 785699 546367 >